저자

왕수학연구소장 **박명전**

에듀왕부설초등교육연구소장 **김윤수**

- 기초 연산 능력 증진
- 사고를 통한 연산 능력 증진
- 사고력과 연산 능력 향상의 이중 효과

2학년이 꼭 알아야 할 사고력연산

- 1학년부터 6학년까지 학년별로 구성되어 있습니다.
- 개념 연산의 기초개념과 원리를 다루었습니다.
- 사고력 기르기 Step 1 약간의 사고를 필요로 하는 연산 문제를 다루었습니다.
- 사고력 기르기 Step 2 좀 더 발전적인 사고를 필요로 하는 연산 문제를 다루었습니다.
- 실력 점검 한 단원을 마무리하는 문제를 다루었습니다.

사고력연산 특징

- 연산의 원리를 알고 계산할 수 있도록 구성하였습니다.
- 기초 연산 능력을 충분히 키울 수 있도록 구성하였습니다.
- 연산 능력과 사고력 향상이 동시에 이루어질 수 있는 문제를 다루었습니다.
- 사고를 통해 연산을 하는 과정에서 연산 능력이 저절로 향상될 수 있도록 구성하였습니다.

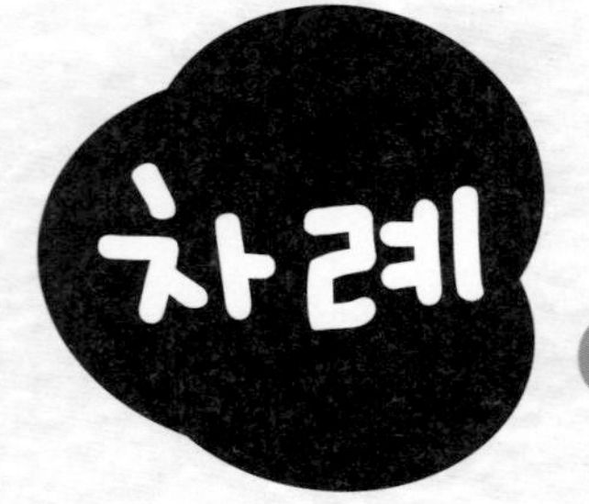

차례

Contents

사고력연산

2학년

01 세 자리 수

개념

1. 세 자리 수 알아보기

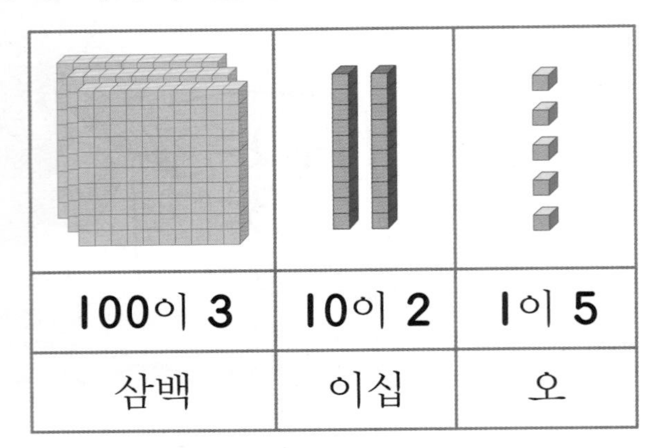

100이 3	10이 2	1이 5
삼백	이십	오

- 100이 3, 10이 2, 1이 5이면 325입니다.
- 325는 삼백이십오라고 읽습니다.

2. 세 자리 수의 자릿값 알아보기

백의 자리	십의 자리	일의 자리
3	2	5

↓

3	0	0
	2	0
		5

325에서
- 3은 백의 자리 숫자이고 300을 나타냅니다.
- 2는 십의 자리 숫자이고 20을 나타냅니다.
- 5는 일의 자리 숫자이고 5를 나타냅니다.

→ $325=300+20+5$

□ 안에 알맞은 수를 써넣으시오. (01~04)

01 100이 4, 10이 6, 1이 9이면 □ 입니다.

02 100이 6, 10이 7, 1이 8이면 □ 입니다.

03 248은 100이 □, 10이 □, 1이 □ 입니다.

04 357은 100이 □, 10이 □, 1이 □ 입니다.

□ 안에 알맞은 수를 써넣으시오. (05~08)

05 100이 4, 10이 6, 1이 5 이면 □

06 100이 6, 10이 0, 1이 7 이면 □

07 100이 5, 10이 6, 1이 4 이면 □

08 100이 7, 10이 4, 1이 0 이면 □

□ 안에 알맞은 수를 써넣으시오. (09~12)

09 326은 100이 □, 10이 □, 1이 □

10 497은 100이 □, 10이 □, 1이 □

11 609는 100이 □, 10이 □, 1이 □

12 624는 100이 □, 10이 □, 1이 □

밑줄 친 숫자가 나타내는 값은 얼마인지 써 보시오. (13~18)

13 $\underline{8}67$ → (　　　　)

14 $28\underline{4}$ → (　　　　)

15 $9\underline{2}5$ → (　　　　)

16 $5\underline{8}6$ → (　　　　)

17 $\underline{4}68$ → (　　　　)

18 $62\underline{5}$ → (　　　　)

사고력 기르기

보기 를 참고하여 □ 안에 알맞은 수를 써넣으시오. (01~03)

보기

100이 4, 10이 25, 1이 8인 수

→ 400+200+50+8

=600+50+8=658

01

100이 5, 10이 33, 1이 4인 수

→ □+□+□+□

=□+□+□=□

02

100이 7, 10이 22, 1이 5인 수

→ □+□+□+□

=□+□+□=□

03

100이 4, 10이 41, 1이 6인 수

→ □+□+□+□

=□+□+□=□

주어진 세 수에서 밑줄 그은 숫자가 나타내는 값의 합을 구하시오. **(04~10)**

04 | 325 308 234 | ( )

05 | 456 273 628 | ( )

06 | 263 504 729 | ( )

07 | 592 320 463 | ( )

08 | 252 439 369 | ( )

09 | 448 637 273 | ( )

10 | 536 609 720 | ( )

□ 안에 알맞은 수를 써넣으시오. (11~16)

11 524는 100이 4, 10이 12, 1이 □인 수입니다.

12 638은 100이 5, 10이 □, 1이 8인 수입니다.

13 465는 100이 □, 10이 16, 1이 5인 수입니다.

14 □는 100이 2, 10이 15, 1이 4인 수입니다.

15 □는 100이 4, 10이 27, 1이 5인 수입니다.

16 □는 100이 5, 10이 7, 1이 24인 수입니다.

사고력 기르기

Step 2

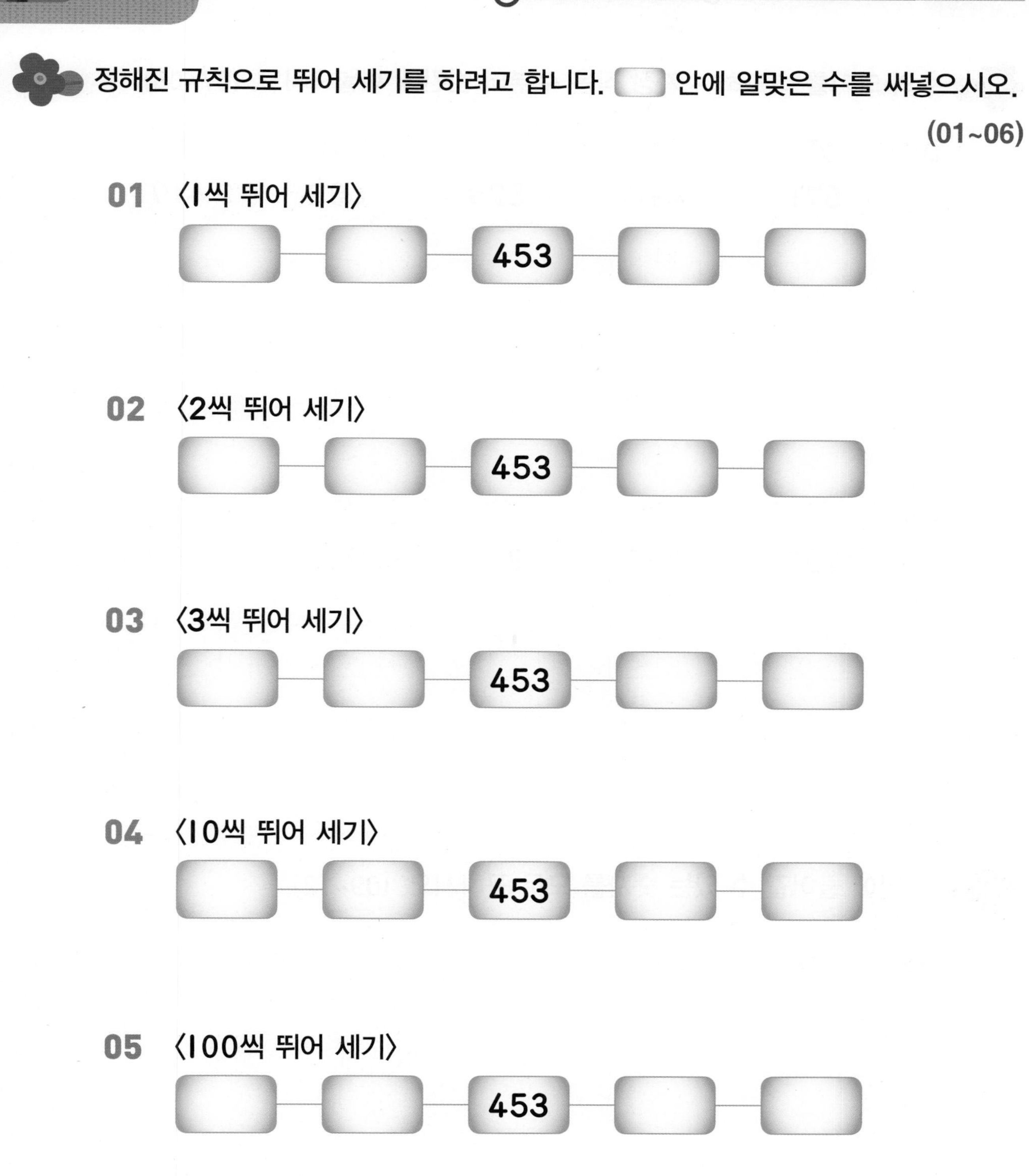

정해진 규칙으로 뛰어 세기를 하려고 합니다. ☐ 안에 알맞은 수를 써넣으시오. (01~06)

01 〈1씩 뛰어 세기〉

☐ — ☐ — 453 — ☐ — ☐

02 〈2씩 뛰어 세기〉

☐ — ☐ — 453 — ☐ — ☐

03 〈3씩 뛰어 세기〉

☐ — ☐ — 453 — ☐ — ☐

04 〈10씩 뛰어 세기〉

☐ — ☐ — 453 — ☐ — ☐

05 〈100씩 뛰어 세기〉

☐ — ☐ — 453 — ☐ — ☐

06 〈첫 번째 수에는 1, 두 번째 수에는 2, 세 번째 수에는 3, 네 번째 수에는 4를 더하는 방법으로 뛰어 세기〉

☐ — ☐ — 453 — ☐ — ☐

수의 크기를 비교하여 가장 작은 수부터 빈칸에 써넣으시오. (07~08)

07

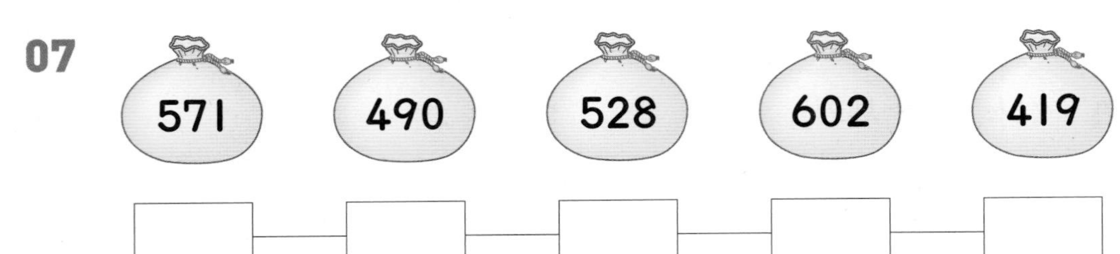

□ — □ — □ — □ — □

08

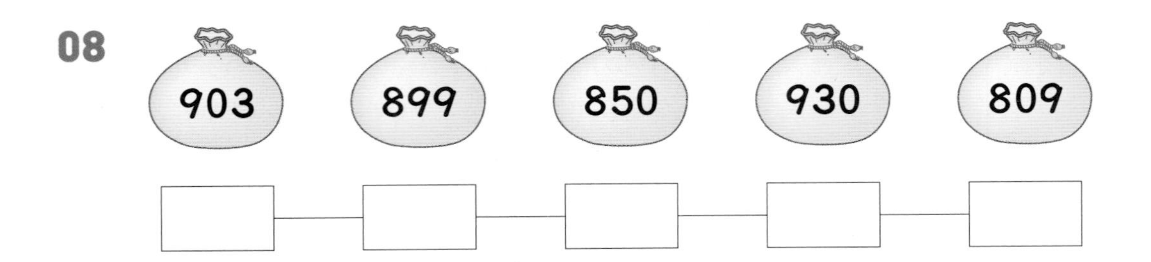

□ — □ — □ — □ — □

□ 안에 들어갈 수 있는 숫자를 모두 구하시오. (09~12)

09 $5\square3 > 561$

10 $\square28 < 609$

11 $569 < 5\square6$

12 $672 < \square81$

주머니 속의 숫자 카드를 늘어놓아 만들 수 있는 세 자리 수를 가장 작은 수부터 차례로 모두 만들고 가장 큰 수와 가장 작은 수를 구하시오. (13~15)

13

☐, ☐, ☐, ☐,
☐, ☐

가장 큰 수 : ☐ 가장 작은 수 : ☐

14

☐, ☐, ☐, ☐,
☐, ☐

가장 큰 수 : ☐ 가장 작은 수 : ☐

15

☐, ☐, ☐, ☐, ☐, ☐,
☐, ☐, ☐, ☐, ☐, ☐,
☐, ☐, ☐, ☐, ☐, ☐,

가장 큰 수 : ☐ 가장 작은 수 : ☐

실력 점검

□ 안에 알맞은 수를 써넣으시오. (01~02)

01 100이 2, 10이 7, 1이 6이면 □입니다.

02 412는 100이 □, 10이 □, 1이 □입니다.

□ 안에 알맞은 수를 써넣으시오. (03~06)

03 100이 8, 10이 6, 1이 7이면 □

04 197은 100이 □, 10이 □, 1이 □

05 100이 3, 10이 6, 1이 5이면 □

06 765는 100이 □, 10이 □, 1이 □

밑줄 친 숫자가 나타내는 값은 얼마인지 써 보시오. (07~14)

07 248 → (　　　)

08 519 → (　　　)

09 621 → (　　　)

10 483 → (　　　)

11 298 → (　　　)

12 567 → (　　　)

13 104 → (　　　)

14 263 → (　　　)

주어진 세 수에서 밑줄 그은 숫자가 나타내는 값의 합을 구하시오. (15~16)

15 $\underline{4}25$ $\underline{4}08$ $2\underline{4}4$ ( )

16 $\underline{3}56$ $2\underline{6}3$ $62\underline{7}$ ( )

□ 안에 알맞은 수를 써넣으시오. (17~18)

17 735는 100이 6, 10이 13, 1이 □인 수입니다.

18 462는 100이 3, 10이 □, 1이 2인 수입니다.

□ 안에 들어갈 수 있는 숫자를 모두 구하시오. (19~20)

19 $3\square3 > 361$

20 $\square28 < 515$

21 주어진 3장의 숫자 카드를 늘어놓아 만들 수 있는 세 자리 수를 가장 작은 수부터 차례로 모두 만들고, 가장 큰 수와 가장 작은 수를 구하시오.

02 받아올림 있는 (몇십 몇)+(몇)

개념

1. 26+7의 계산

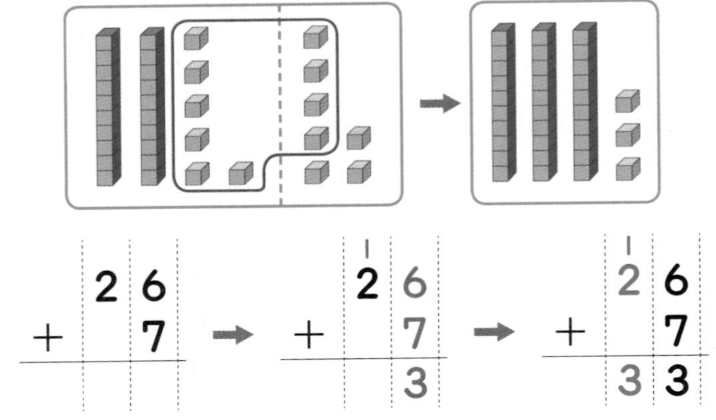

$$\begin{array}{rr} & 2\ 6 \\ + & 7 \\ \hline & \end{array} \rightarrow \begin{array}{rr} & \overset{1}{2}\ 6 \\ + & 7 \\ \hline & 3 \end{array} \rightarrow \begin{array}{rr} & \overset{1}{2}\ 6 \\ + & 7 \\ \hline & 3\ 3 \end{array}$$

일의 자리 숫자끼리 더하여 10이거나 10을 넘으면 받아올림하여 계산합니다.

□ 안에 알맞은 숫자를 써넣으시오. (01~03)

01

$$\begin{array}{rr} & 3\ 5 \\ + & 8 \\ \hline & \end{array} \rightarrow \begin{array}{rr} & \overset{\square}{3}\ 5 \\ + & 8 \\ \hline & \square \end{array} \rightarrow \begin{array}{rr} & \overset{\square}{3}\ 5 \\ + & 8 \\ \hline & \square\ \square \end{array}$$

02

$$\begin{array}{rr} & 4\ 7 \\ + & 5 \\ \hline & \end{array} \rightarrow \begin{array}{rr} & \overset{\square}{4}\ 7 \\ + & 5 \\ \hline & \square \end{array} \rightarrow \begin{array}{rr} & \overset{\square}{4}\ 7 \\ + & 5 \\ \hline & \square\ \square \end{array}$$

03

$$\begin{array}{rr} & 6\ 3 \\ + & 9 \\ \hline & \end{array} \rightarrow \begin{array}{rr} & \overset{\square}{6}\ 3 \\ + & 9 \\ \hline & \square \end{array} \rightarrow \begin{array}{rr} & \overset{\square}{6}\ 3 \\ + & 9 \\ \hline & \square\ \square \end{array}$$

계산을 하시오. (04~12)

04
$$\begin{array}{r} 16 \\ +\ \ 6 \\ \hline \square \end{array}$$

05
$$\begin{array}{r} 68 \\ +\ \ 3 \\ \hline \square \end{array}$$

06
$$\begin{array}{r} 59 \\ +\ \ 8 \\ \hline \square \end{array}$$

07
$$\begin{array}{r} 25 \\ +\ \ 8 \\ \hline \square \end{array}$$

08
$$\begin{array}{r} 57 \\ +\ \ 4 \\ \hline \square \end{array}$$

09
$$\begin{array}{r} 35 \\ +\ \ 6 \\ \hline \square \end{array}$$

10
$$\begin{array}{r} 27 \\ +\ \ 9 \\ \hline \square \end{array}$$

11
$$\begin{array}{r} 69 \\ +\ \ 5 \\ \hline \square \end{array}$$

12
$$\begin{array}{r} 25 \\ +\ \ 7 \\ \hline \square \end{array}$$

계산을 하시오. (13~20)

13 $19+4=\square$

14 $66+8=\square$

15 $54+8=\square$

16 $86+5=\square$

17 $75+6=\square$

18 $88+5=\square$

19 $36+5=\square$

20 $74+7=\square$

사고력 기르기

Step 1

덧셈식이 성립하도록 □ 안에 알맞은 숫자를 써넣으시오. (01~10)

01
$$\begin{array}{rr} & 18 \\ + & \square \\ \hline & 25 \end{array}$$

02
$$\begin{array}{rr} & 26 \\ + & \square \\ \hline & 33 \end{array}$$

03
$$\begin{array}{rr} & 37 \\ + & \square \\ \hline & 45 \end{array}$$

04
$$\begin{array}{rr} & 43 \\ + & \square \\ \hline & 52 \end{array}$$

05
$$\begin{array}{rr} & 55 \\ + & \square \\ \hline & 60 \end{array}$$

06
$$\begin{array}{rr} & 64 \\ + & \square \\ \hline & 71 \end{array}$$

07 $17+\square=24$

08 $25+\square=34$

09 $74+\square=82$

10 $68+\square=76$

덧셈식이 성립하도록 □ 안에 알맞은 숫자를 써넣으시오. (11~20)

11
$$\begin{array}{rr} & 2\square \\ + & 5 \\ \hline & 32 \end{array}$$

12
$$\begin{array}{rr} & 3\square \\ + & 8 \\ \hline & 47 \end{array}$$

13
$$\begin{array}{rr} & 4\square \\ + & 6 \\ \hline & 50 \end{array}$$

14
$$\begin{array}{rr} & 5\square \\ + & 7 \\ \hline & 61 \end{array}$$

15
$$\begin{array}{rr} & 6\square \\ + & 6 \\ \hline & 72 \end{array}$$

16
$$\begin{array}{rr} & 3\square \\ + & 7 \\ \hline & 44 \end{array}$$

17 $1\square+3=22$

18 $4\square+8=53$

19 $6\square+6=71$

20 $8\square+7=95$

덧셈식이 성립하도록 □ 안에 알맞은 숫자를 써넣으시오. (21~30)

21

$$\begin{array}{r} 1\ 5 \\ +\ \ \square \\ \hline \square\ 2 \end{array}$$

22

$$\begin{array}{r} 2\ 3 \\ +\ \ \square \\ \hline \square\ 1 \end{array}$$

23

$$\begin{array}{r} 3\ 6 \\ +\ \ \square \\ \hline \square\ 3 \end{array}$$

24

$$\begin{array}{r} 4\ 6 \\ +\ \ \square \\ \hline \square\ 5 \end{array}$$

25

$$\begin{array}{r} 5\ 1 \\ +\ \ \square \\ \hline \square\ 0 \end{array}$$

26

$$\begin{array}{r} 6\ 7 \\ +\ \ \square \\ \hline \square\ 4 \end{array}$$

27 $29+\square=\square 4$

28 $72+\square=\square 0$

29 $57+\square=\square 2$

30 $65+\square=\square 3$

덧셈식이 성립하도록 □ 안에 알맞은 숫자를 써넣으시오. (31~40)

31

$$\begin{array}{r} 1\ \square \\ +\ \ 6 \\ \hline \square\ 5 \end{array}$$

32

$$\begin{array}{r} 2\ \square \\ +\ \ 5 \\ \hline \square\ 2 \end{array}$$

33

$$\begin{array}{r} 3\ \square \\ +\ \ 4 \\ \hline \square\ 0 \end{array}$$

34

$$\begin{array}{r} 4\ \square \\ +\ \ 8 \\ \hline \square\ 6 \end{array}$$

35

$$\begin{array}{r} 5\ \square \\ +\ \ 5 \\ \hline \square\ 4 \end{array}$$

36

$$\begin{array}{r} 6\ \square \\ +\ \ 8 \\ \hline \square\ 3 \end{array}$$

37 $38+\square=\square 7$

38 $49+\square=\square 8$

39 $53+\square=\square 1$

40 $76+\square=\square 2$

덧셈식이 성립하도록 □ 안에 알맞은 숫자를 써넣으시오. (41~46)

41

$$\begin{array}{rcc} & \square & 7 \\ + & & 9 \\ \hline & 5 & \square \end{array}$$

42

$$\begin{array}{rcc} & \square & 5 \\ + & & 7 \\ \hline & 6 & \square \end{array}$$

43

$$\begin{array}{rcc} & \square & 4 \\ + & & 7 \\ \hline & 4 & \square \end{array}$$

44

$$\begin{array}{rcc} & \square & 8 \\ + & & \square \\ \hline & 3 & 4 \end{array}$$

45

$$\begin{array}{rcc} & \square & 6 \\ + & & \square \\ \hline & 7 & 2 \end{array}$$

46

$$\begin{array}{rcc} & \square & 9 \\ + & & \square \\ \hline & 9 & 4 \end{array}$$

1부터 9까지의 숫자 중 □ 안에 들어갈 수 있는 숫자를 모두 구하시오. (47~50)

47 $36+\square>42$

( )

48 $57+\square>61$

( )

49 $\square+27<32$

( )

50 $\square+69<73$

( )

주어진 수들 중 서로 다른 세 수를 골라 덧셈식을 만들어 보시오. (51~52)

51 35 5 42 7 → $\square\square+\square=\square\square$

52 8 29 9 37 → $\square\square+\square=\square\square$

사고력 기르기

Step 2

보기 와 같이 주어진 숫자 카드 중에서 **3**장을 골라 두 자리 수와 한 자리 수의 덧셈식을 만들 때, 두 수의 합이 가장 클 때와 가장 작을 때의 값을 구하시오.

(01~03)

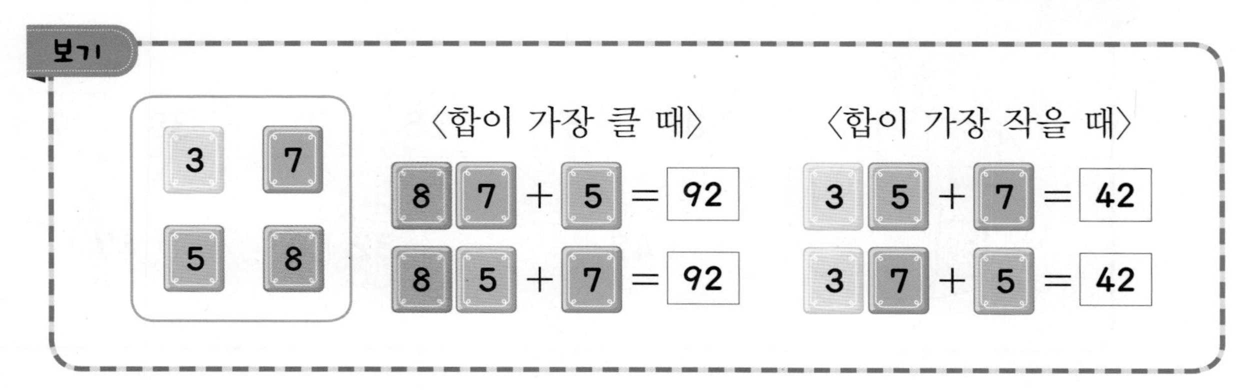

01

〈합이 가장 클 때〉

□□ + □ = □

〈합이 가장 작을 때〉

□□ + □ = □

02

〈합이 가장 클 때〉

□□ + □ = □

〈합이 가장 작을 때〉

□□ + □ = □

03

〈합이 가장 클 때〉

□□ + □ = □

〈합이 가장 작을 때〉

□□ + □ = □

보기 와 같이 두 수의 합이 ○ 안의 수가 되도록 □ 안에 알맞은 수 카드의 수를 써넣으시오. (단, 큰 수부터 왼쪽에 씁니다.) (04~06)

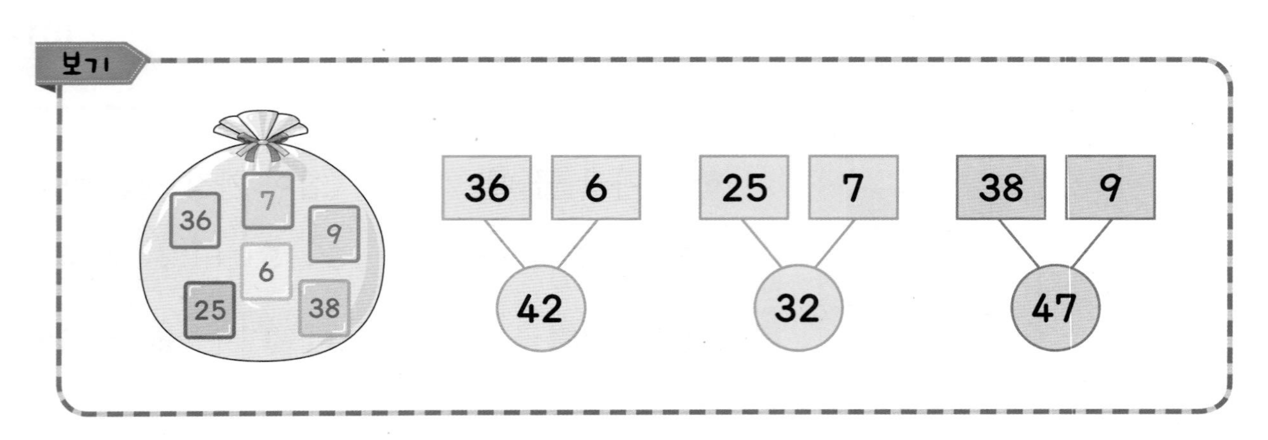

04

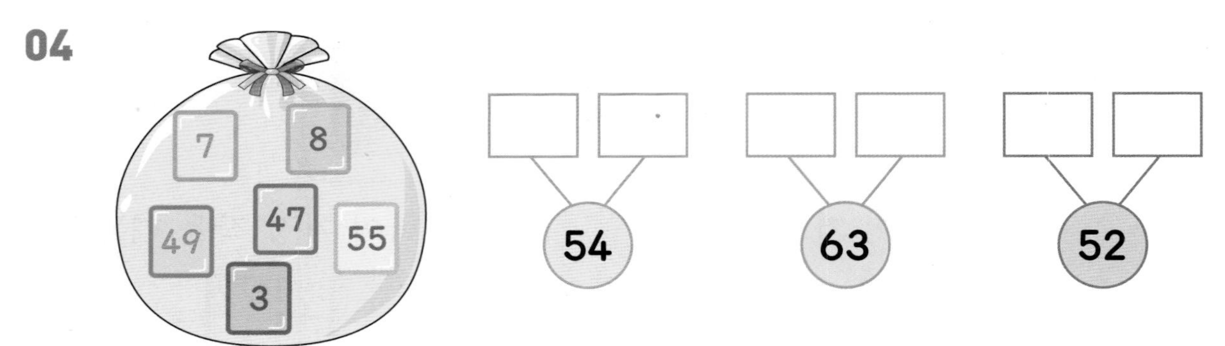

05

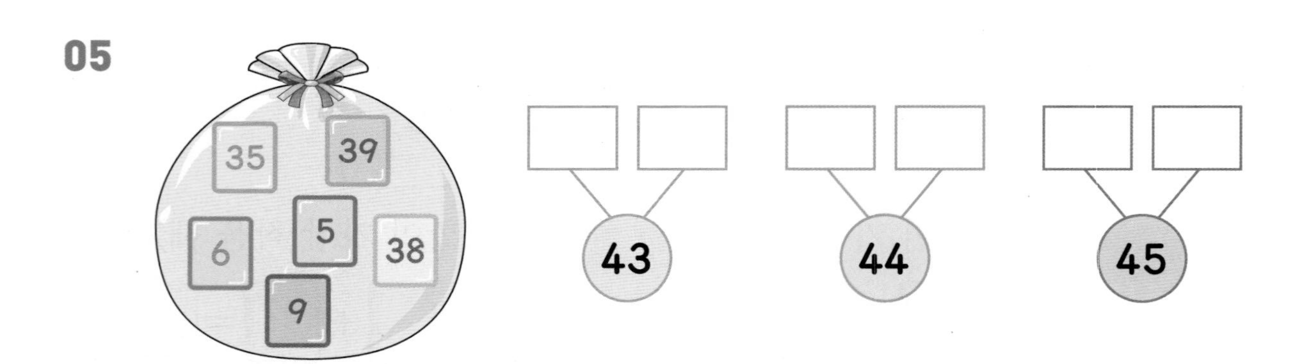

06

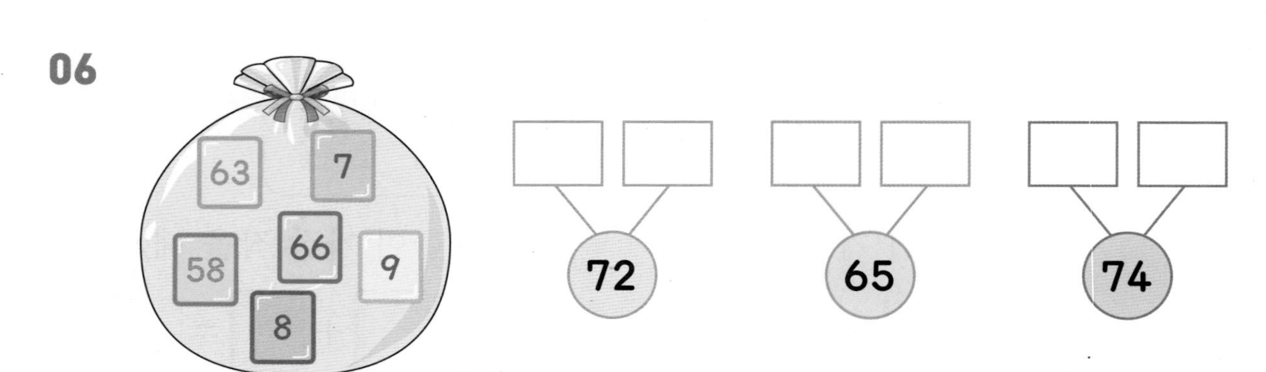

보기 와 같이 왼쪽 숫자 카드를 사용하여 서로 다른 덧셈식을 만드시오. (07~09)

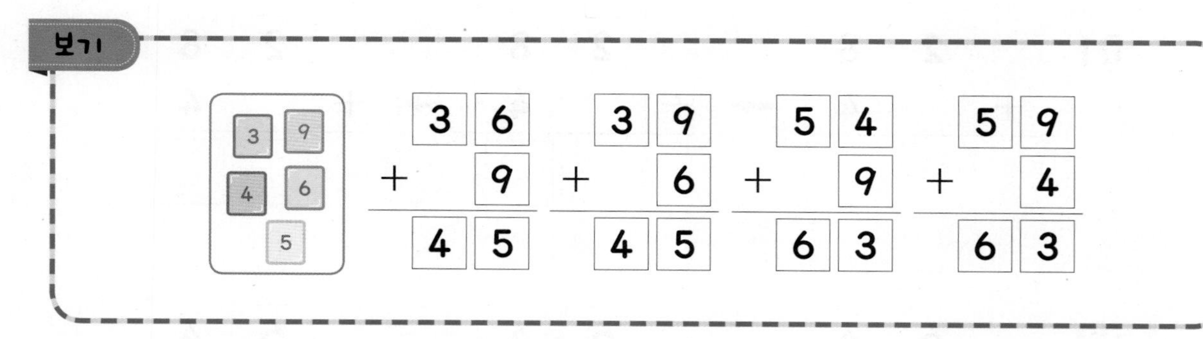

07

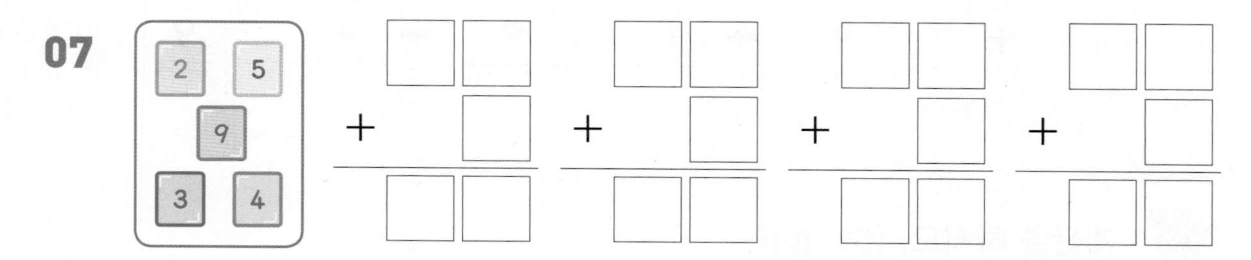

08

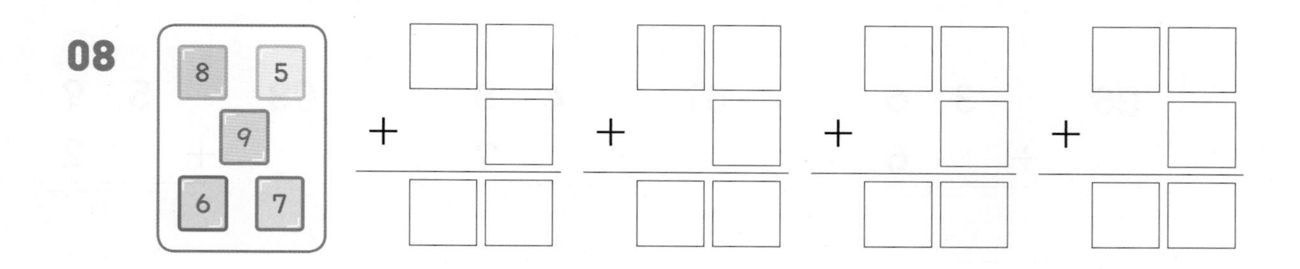

09

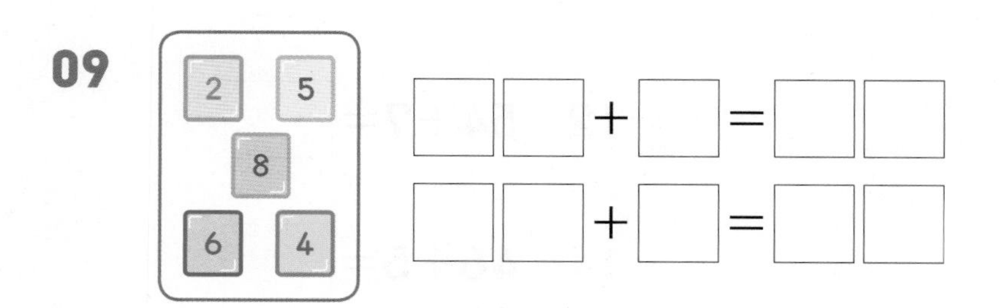

실력 점검

□ 안에 알맞은 숫자를 써넣으시오. (01~02)

01

	2	8
+		4

➡

	□	
	2	8
+		4
		□

➡

	□	
	2	8
+		4
	□	□

02

	6	4
+		9

➡

	□	
	6	4
+		9
		□

➡

	□	
	6	4
+		9
	□	□

계산을 하시오. (03~08)

03 $19 + 6 = \square$

04 $25 + 5 = \square$

05 $67 + 8 = \square$

06 $36 + 6 = \square$

07 $48 + 7 = \square$

08 $59 + 2 = \square$

계산을 하시오. (09~14)

09 $31+9=\square$

10 $47+8=\square$

11 $29+2=\square$

12 $54+7=\square$

13 $36+7=\square$

14 $46+5=\square$

덧셈식이 성립하도록 □ 안에 알맞은 숫자를 써넣으시오. (15~17)

15

	3	□
+		6
	□	5

16

	6	□
+		7
	□	4

17

	5	□
+		6
	□	0

주어진 수들 중 서로 다른 세 수를 골라 덧셈식을 만들어 보시오. (18~19)

18 36 5 44 8 → □□ + □ = □□

19 6 49 9 58 → □□ + □ = □□

20 보기 와 같이 왼쪽 숫자 카드를 사용하여 서로 다른 덧셈식을 만드시오.

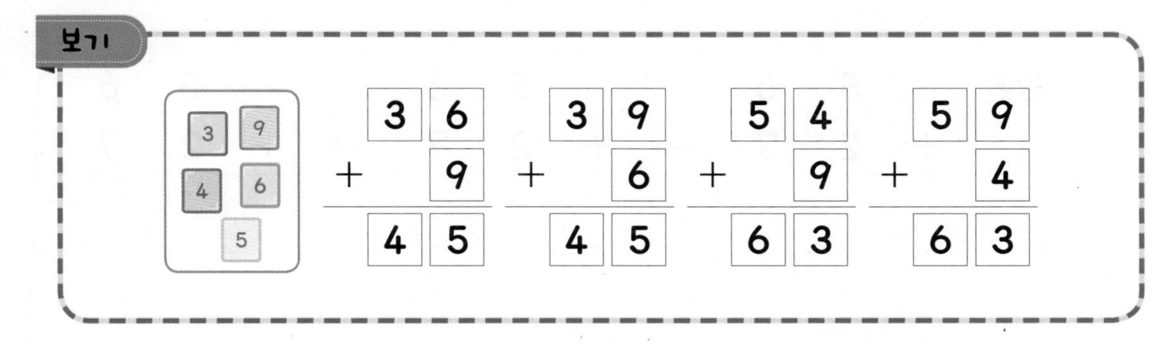

보기

3 9 4 6 5

	3	6		3	9		5	4		5	9
+		9	+		6	+		9	+		4
	4	5		4	5		6	3		6	3

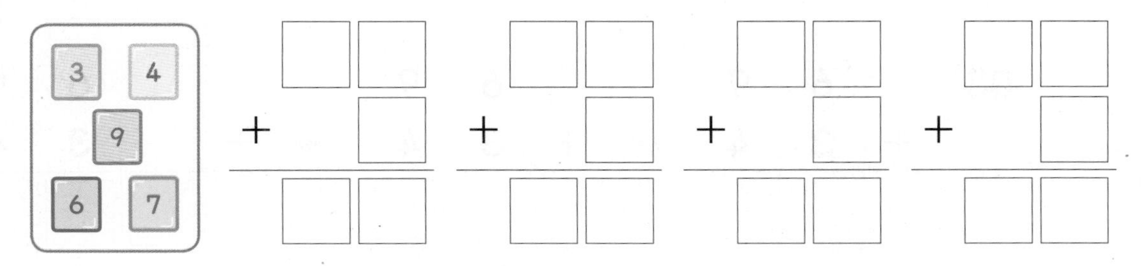

3 4 9 6 7

	□	□		□	□		□	□		□	□
+		□	+		□	+		□	+		□
	□	□		□	□		□	□		□	□

03 받아올림 있는 (몇십 몇)+(몇십 몇)

개념

1. 37+25의 계산

```
     3 7          1            1
   + 2 5   →    3 7    →     3 7
   -----      + 2 5        + 2 5
              -----        -----
                  2          6 2
```

2. 62+49의 계산

```
     6 2          1          1 1
   + 4 9   →    6 2    →       6 2
   -----      + 4 9        +   4 9
              -----        -------
                  1          1 1 1
```

각 자리 숫자끼리의 합이 10이거나 10보다 크면 바로 윗자리로 받아올림하여 계산합니다.

□ 안에 알맞은 숫자를 써넣으시오. (01~03)

01

```
     2 7          □            □
   + 2 5   →    2 7    →     2 7
   -----      + 2 5        + 2 5
              -----        -----
                  □          □ □
```

02

```
     5 6          □            □
   + 2 7   →    5 6    →     5 6
   -----      + 2 7        + 2 7
              -----        -----
                  □          □ □
```

03

```
     6 9          □          □ □
   + 3 4   →    6 9    →       6 9
   -----      + 3 4        +   3 4
              -----        -------
                  □          □ □ □
```

계산을 하시오. (04~12)

04
$$\begin{array}{r} 14 \\ +\ 28 \\ \hline \square \end{array}$$

05
$$\begin{array}{r} 26 \\ +\ 49 \\ \hline \square \end{array}$$

06
$$\begin{array}{r} 25 \\ +\ 36 \\ \hline \square \end{array}$$

07
$$\begin{array}{r} 45 \\ +\ 27 \\ \hline \square \end{array}$$

08
$$\begin{array}{r} 64 \\ +\ 17 \\ \hline \square \end{array}$$

09
$$\begin{array}{r} 39 \\ +\ 46 \\ \hline \square \end{array}$$

10
$$\begin{array}{r} 57 \\ +\ 72 \\ \hline \square \end{array}$$

11
$$\begin{array}{r} 62 \\ +\ 79 \\ \hline \square \end{array}$$

12
$$\begin{array}{r} 67 \\ +\ 59 \\ \hline \square \end{array}$$

계산을 하시오. (13~20)

13 $37+34=\square$

14 $42+39=\square$

15 $15+68=\square$

16 $47+48=\square$

17 $39+57=\square$

18 $83+49=\square$

19 $52+79=\square$

20 $65+76=\square$

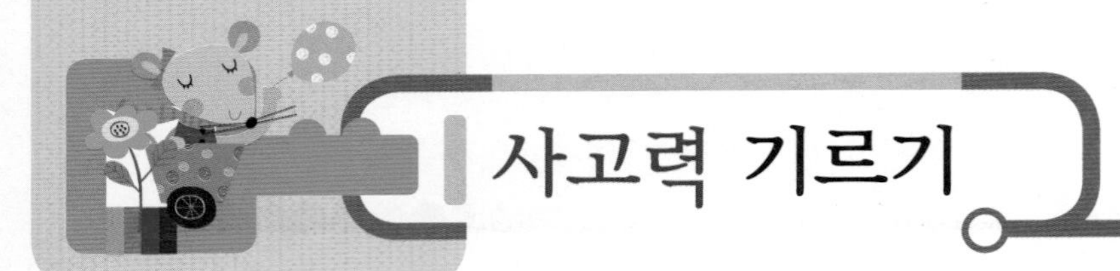

사고력 기르기

Step 1

덧셈식이 성립하도록 □ 안에 알맞은 숫자를 써넣으시오. (01~20)

01
$$\begin{array}{rcc} & 5 & 7 \\ + & 3 & \square \\ \hline & 9 & 2 \end{array}$$

02
$$\begin{array}{rcc} & 4 & 8 \\ + & 4 & \square \\ \hline & 9 & 6 \end{array}$$

03
$$\begin{array}{rcc} & 2 & 9 \\ + & 3 & \square \\ \hline & 6 & 6 \end{array}$$

04 $16+2\square=41$

05 $25+3\square=60$

06
$$\begin{array}{rcc} & 6 & \square \\ + & 1 & 6 \\ \hline & 8 & 2 \end{array}$$

07
$$\begin{array}{rcc} & 5 & \square \\ + & 3 & 8 \\ \hline & 9 & 1 \end{array}$$

08
$$\begin{array}{rcc} & 7 & \square \\ + & 4 & 9 \\ \hline 1 & 2 & 3 \end{array}$$

09 $2\square+47=74$

10 $3\square+95=133$

11
$$\begin{array}{rcc} & \square & 5 \\ + & 2 & 7 \\ \hline & 7 & \square \end{array}$$

12
$$\begin{array}{rcc} & \square & 4 \\ + & 3 & 9 \\ \hline & 8 & \square \end{array}$$

13
$$\begin{array}{rcc} & \square & 6 \\ + & 7 & 9 \\ \hline 1 & 4 & \square \end{array}$$

14 $\square6+45=8\square$

15 $\square3+59=11\square$

16
$$\begin{array}{rcc} & 4 & 9 \\ + & \square & 5 \\ \hline & 9 & \square \end{array}$$

17
$$\begin{array}{rcc} & 3 & 7 \\ + & \square & 6 \\ \hline & 7 & \square \end{array}$$

18
$$\begin{array}{rcc} & 6 & 2 \\ + & \square & 9 \\ \hline 1 & 3 & \square \end{array}$$

19 $57+\square3=8\square$

20 $85+\square8=15\square$

덧셈식이 성립하도록 □ 안에 알맞은 숫자를 써넣으시오. (21~36)

21
$$\begin{array}{r} 3\square \\ +\ 48 \\ \hline \square 5 \end{array}$$

22
$$\begin{array}{r} 2\square \\ +\ 57 \\ \hline \square 6 \end{array}$$

23
$$\begin{array}{r} 1\square \\ +\ 56 \\ \hline \square 2 \end{array}$$

24
$$\begin{array}{r} 4\square \\ +\ 25 \\ \hline \square 2 \end{array}$$

25
$$\begin{array}{r} 5\square \\ +\ 33 \\ \hline \square 1 \end{array}$$

26
$$\begin{array}{r} 6\square \\ +\ 16 \\ \hline \square 4 \end{array}$$

27 $2\square+27=\square 6$

28 $3\square+55=\square 2$

29
$$\begin{array}{r} 47 \\ +\ 3\square \\ \hline \square 4 \end{array}$$

30
$$\begin{array}{r} 56 \\ +\ 2\square \\ \hline \square 5 \end{array}$$

31
$$\begin{array}{r} 24 \\ +\ 5\square \\ \hline \square 3 \end{array}$$

32
$$\begin{array}{r} 38 \\ +\ 1\square \\ \hline \square 6 \end{array}$$

33
$$\begin{array}{r} 87 \\ +\ 3\square \\ \hline 1\square 2 \end{array}$$

34
$$\begin{array}{r} 45 \\ +\ 5\square \\ \hline 1\square 4 \end{array}$$

35 $55+2\square=\square 2$

36 $39+3\square=\square 8$

식이 성립하도록 ○ 안에 +, =를 알맞게 써넣으시오. (37~40)

37 57 ○ 37 ○ 94

38 26 ○ 45 ○ 71

39 67 ○ 18 ○ 49

40 88 ○ 19 ○ 69

주어진 수 카드 중 서로 다른 3장을 골라 덧셈식을 만들어 보시오. (41~46)

41 27 38 42 65

→ ☐ + ☐ = ☐

42 39 58 95 97

→ ☐ + ☐ = ☐

43 33 50 40 17

→ ☐ + ☐ = ☐

44 18 45 35 27 80

→ ☐ + ☐ = ☐ ☐ + ☐ = ☐

45 54 83 102 29 112

→ ☐ + ☐ = ☐ ☐ + ☐ = ☐

46 24 62 38 100 52

→ ☐ + ☐ = ☐ ☐ + ☐ = ☐

사고력 기르기

보기 와 같이 4장의 숫자 카드를 사용하여 (두 자리 수)+(두 자리 수)의 합이 서로 다르게 덧셈식을 완성하고 각각의 합을 구하시오. (01~02)

보기

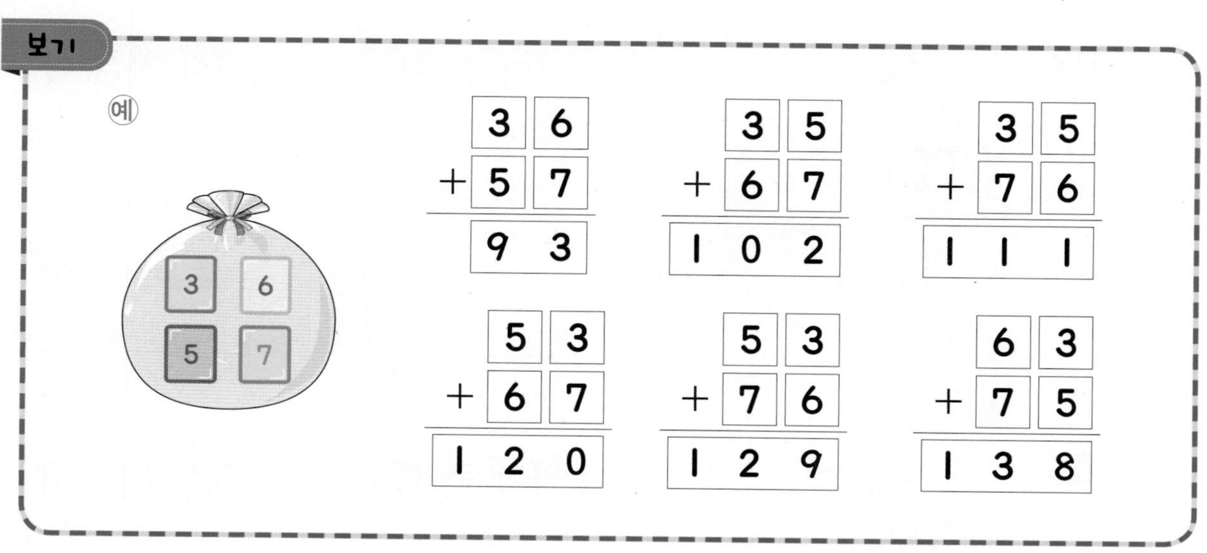

01

02

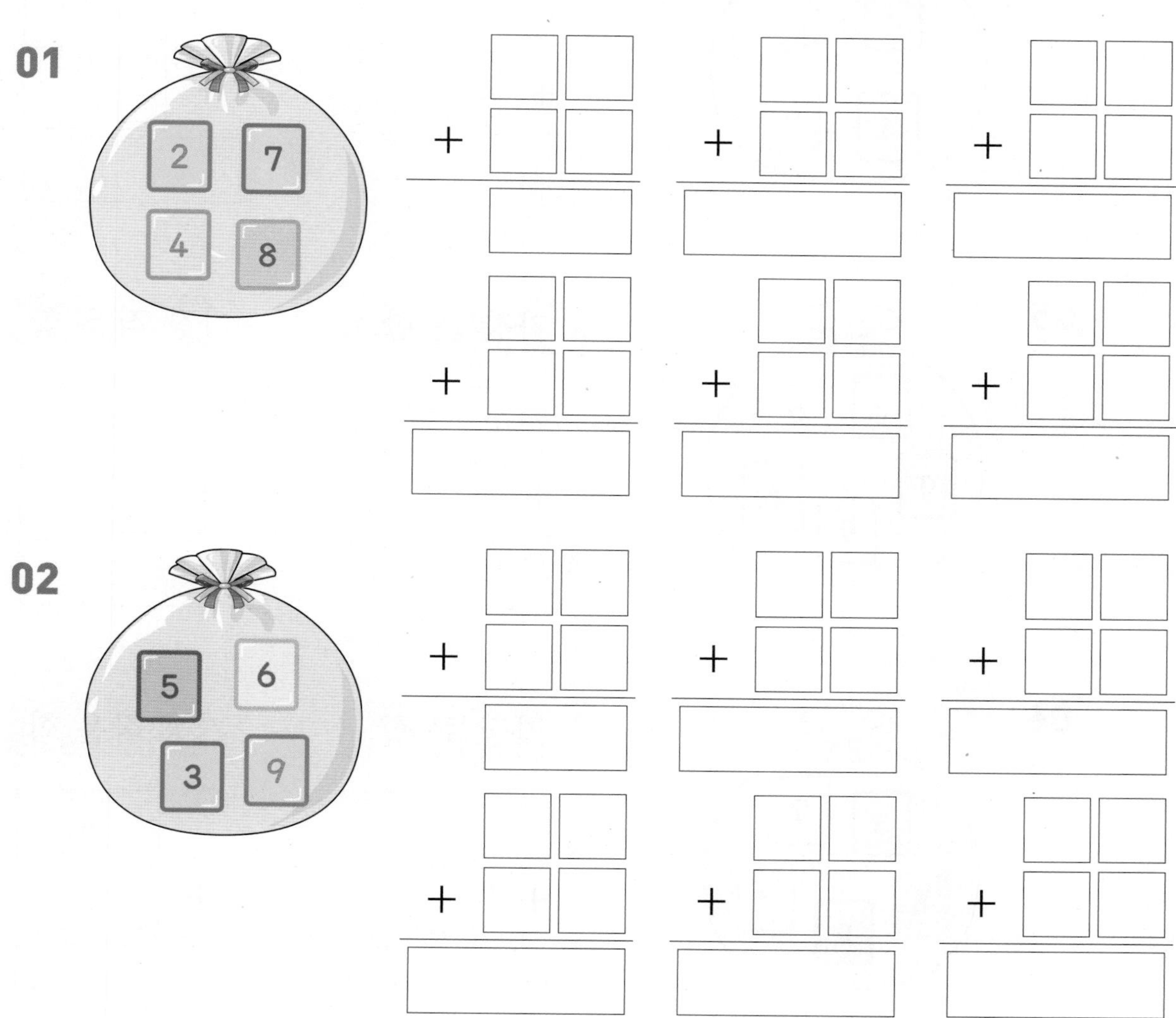

다음의 숫자 카드를 사용하여 (두 자리 수)+(두 자리 수)의 계산 결과가 가장 크게, 가장 작게 만들고 합을 구하시오. (03~06)

03

가장 큰 합

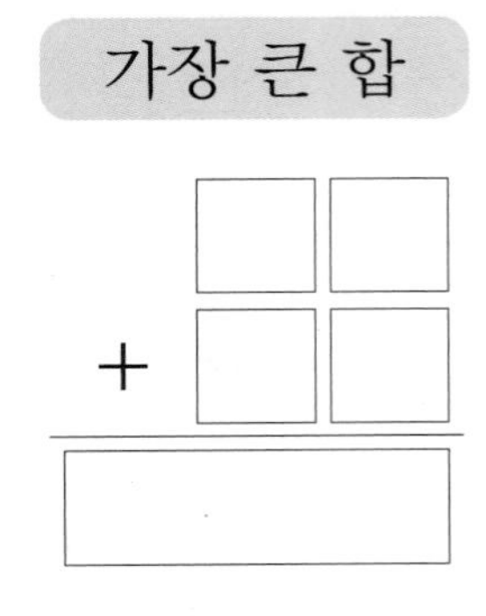

가장 작은 합

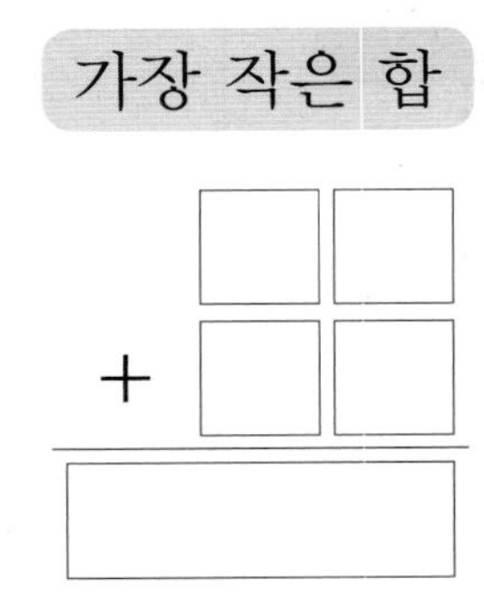

04

가장 큰 합

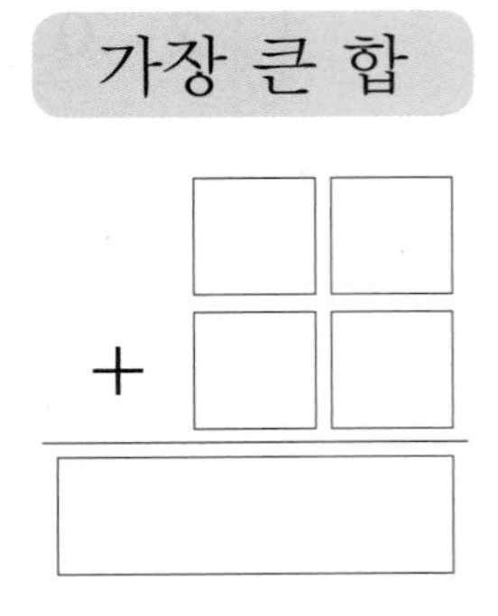

가장 작은 합

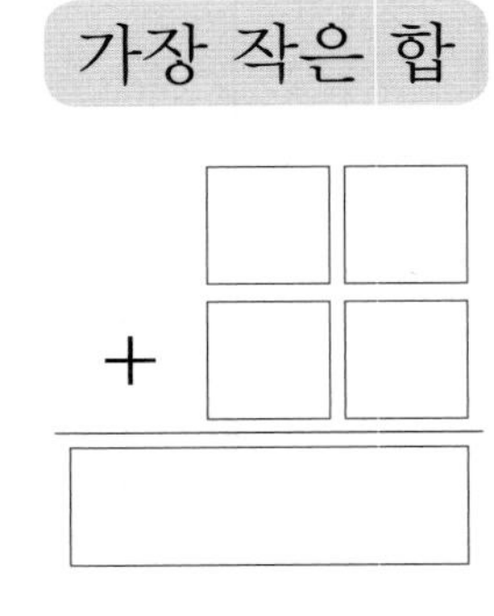

05

가장 큰 합

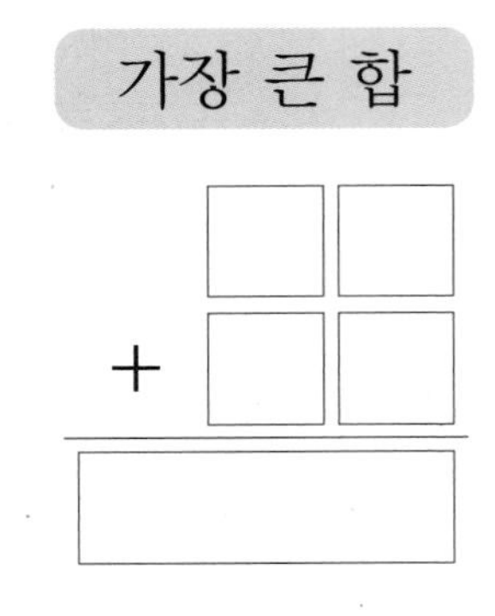

가장 작은 합

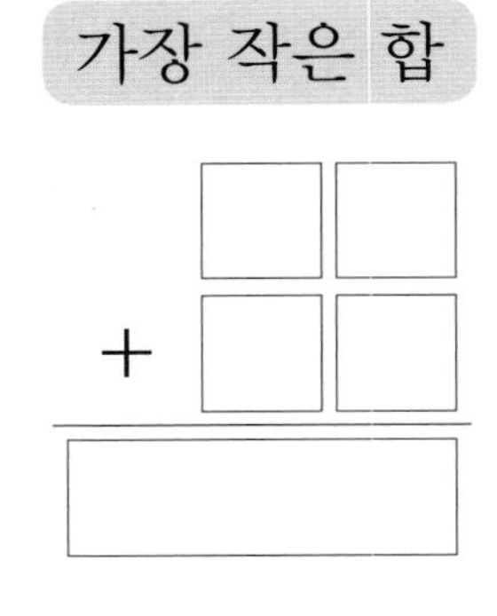

06

가장 큰 합

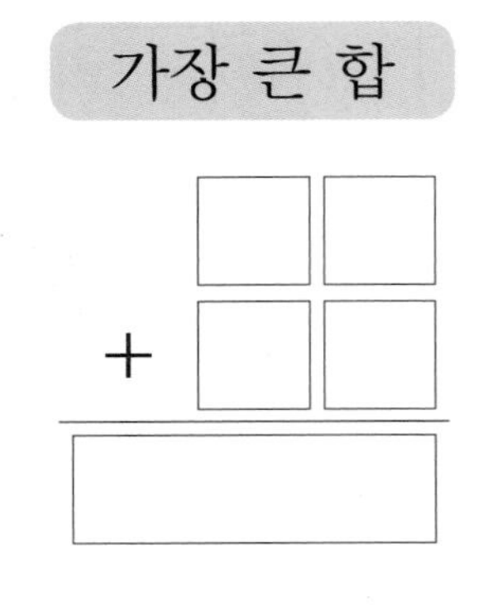

가장 작은 합

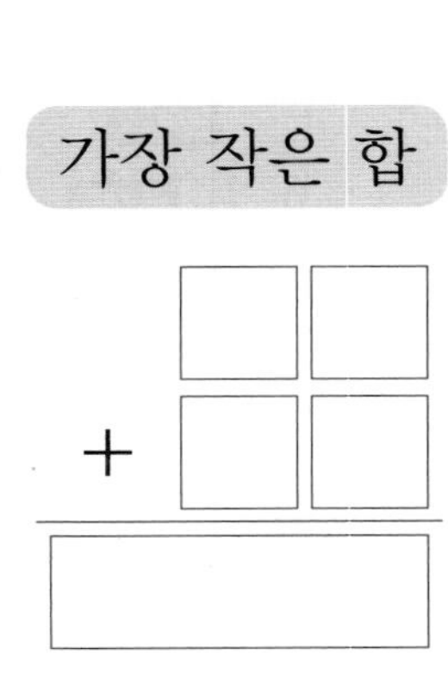

다음 표에서 가로 또는 세로 방향으로 이웃하는 두 수의 합이 ○ 안의 수가 되는 두 수를 모두 찾아 ⬭로 묶으시오. (07~12)

07 73

34	29	50	23
28	44	43	60
27	26	52	29
24	48	37	36

08 85

28	40	45	34
35	23	47	56
27	17	66	29
58	28	54	36

09 92

45	37	38	47
42	28	64	56
69	42	53	37
23	59	43	55

10 104

28	64	39	55
74	30	65	38
20	78	86	54
68	36	47	62

11 111

46	65	66	43
45	36	37	58
39	57	74	27
54	34	63	48

12 123

45	72	61	82
58	49	52	39
65	77	46	34
28	48	57	89

실력 점검

□ 안에 알맞은 숫자를 써넣으시오. (01~02)

01

$$\begin{array}{rcc} & 1 & 8 \\ + & 2 & 5 \\ \hline & & \end{array} \rightarrow \begin{array}{rcc} & \square & \\ & 1 & 8 \\ + & 2 & 5 \\ \hline & & \square \end{array} \rightarrow \begin{array}{rcc} & \square & \\ & 1 & 8 \\ + & 2 & 5 \\ \hline & \square & \square \end{array}$$

02

$$\begin{array}{rcc} & 7 & 6 \\ + & 5 & 7 \\ \hline & & \end{array} \rightarrow \begin{array}{rcc} & \square & \\ & 7 & 6 \\ + & 5 & 7 \\ \hline & & \square \end{array} \rightarrow \begin{array}{ccc} \square & \square & \\ & 7 & 6 \\ + & 5 & 7 \\ \hline \square & \square & \square \end{array}$$

계산을 하시오. (03~08)

03 $\begin{array}{rcc} & 2 & 8 \\ + & 1 & 9 \\ \hline & \square & \end{array}$

04 $\begin{array}{rcc} & 3 & 5 \\ + & 2 & 6 \\ \hline & \square & \end{array}$

05 $\begin{array}{rcc} & 5 & 7 \\ + & 1 & 8 \\ \hline & \square & \end{array}$

06 $\begin{array}{rcc} & 7 & 2 \\ + & 3 & 9 \\ \hline & \square & \end{array}$

07 $\begin{array}{rcc} & 6 & 6 \\ + & 5 & 5 \\ \hline & \square & \end{array}$

08 $\begin{array}{rcc} & 9 & 2 \\ + & 2 & 8 \\ \hline & \square & \end{array}$

계산을 하시오. (09~14)

09 $17+24=\square$

10 $76+67=\square$

11 $33+28=\square$

12 $59+54=\square$

13 $64+17=\square$

14 $64+88=\square$

덧셈식이 성립하도록 □ 안에 알맞은 숫자를 써넣으시오. (15~17)

15

$$\begin{array}{r} 4\ \square \\ +\ 4\ 8 \\ \hline \square\ 5 \end{array}$$

16

$$\begin{array}{r} 2\ \square \\ +\ 3\ 7 \\ \hline \square\ 6 \end{array}$$

17

$$\begin{array}{r} 2\ \square \\ +\ 5\ 4 \\ \hline \square\ 2 \end{array}$$

주어진 수 카드 중 서로 다른 3장을 골라 덧셈식을 만들어 보시오. (18~19)

18 26 74 46 72 → □ + □ = □

19 28 65 25 37 90

→ □ + □ = □ □ + □ = □

20 다음의 숫자 카드를 사용하여 (두 자리 수)+(두 자리 수)의 계산 결과가 가장 크게, 가장 작게 만들고 합을 구하시오.

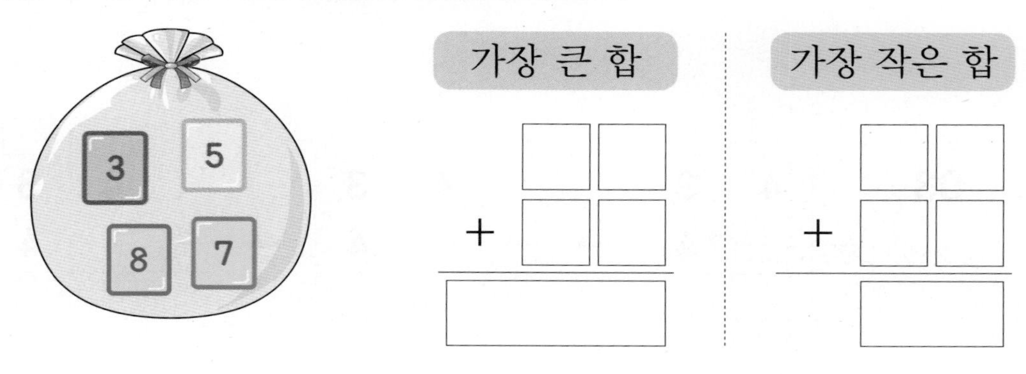

04 받아내림 있는 (몇십 몇)－(몇)

개념

1. 30－7의 계산

			→				→			
					2	10			2	10
	3	0			3	0			3	0
－		7		－		7		－		7
						3			2	3

2. 24－5의 계산

			→				→			
					1	10			1	10
	2	4			2	4			2	4
－		5		－		5		－		5
						9			1	9

일의 자리 숫자끼리 뺄 수 없을 때에는 십의 자리에서 받아내림 하여 계산합니다.

□ 안에 알맞은 수를 써넣으시오. (01~03)

01

			→				→			
					□	□			□	□
	5	0			5	0			5	0
－		6		－		6		－		6
						□			□	□

02

			→				→			
					□	□			□	□
	2	5			2	5			2	5
－		7		－		7		－		7
						□			□	□

03

			→				→			
					□	□			□	□
	4	3			4	3			4	3
－		4		－		4		－		4
						□			□	□

계산을 하시오. (04~12)

04
$$\begin{array}{r} 20 \\ -\ \ 5 \\ \hline \square \end{array}$$

05
$$\begin{array}{r} 60 \\ -\ \ 8 \\ \hline \square \end{array}$$

06
$$\begin{array}{r} 70 \\ -\ \ 9 \\ \hline \square \end{array}$$

07
$$\begin{array}{r} 31 \\ -\ \ 5 \\ \hline \square \end{array}$$

08
$$\begin{array}{r} 81 \\ -\ \ 9 \\ \hline \square \end{array}$$

09
$$\begin{array}{r} 93 \\ -\ \ 5 \\ \hline \square \end{array}$$

10
$$\begin{array}{r} 56 \\ -\ \ 7 \\ \hline \square \end{array}$$

11
$$\begin{array}{r} 73 \\ -\ \ 8 \\ \hline \square \end{array}$$

12
$$\begin{array}{r} 58 \\ -\ \ 9 \\ \hline \square \end{array}$$

계산을 하시오. (13~20)

13 $50-4=\square$

14 $40-7=\square$

15 $73-7=\square$

16 $37-8=\square$

17 $23-5=\square$

18 $93-6=\square$

19 $85-7=\square$

20 $68-9=\square$

사고력 기르기

Step 1

뺄셈식이 성립하도록 □ 안에 알맞은 숫자를 써넣으시오. (01~20)

01
$$\begin{array}{r} 4\ 2 \\ -\quad \square \\ \hline 3\ 4 \end{array}$$

02
$$\begin{array}{r} 5\ 1 \\ -\quad \square \\ \hline 4\ 2 \end{array}$$

03
$$\begin{array}{r} 3\ 3 \\ -\quad \square \\ \hline 2\ 6 \end{array}$$

04 $64-\square=58$

05 $45-\square=36$

06
$$\begin{array}{r} 3\ \square \\ -\quad 3 \\ \hline 2\ 7 \end{array}$$

07
$$\begin{array}{r} 4\ \square \\ -\quad 5 \\ \hline 3\ 6 \end{array}$$

08
$$\begin{array}{r} 5\ \square \\ -\quad 4 \\ \hline 4\ 8 \end{array}$$

09 $6\square-6=55$

10 $7\square-9=65$

11
$$\begin{array}{r} 5\ 3 \\ -\quad \square \\ \hline \square\ 7 \end{array}$$

12
$$\begin{array}{r} 2\ 2 \\ -\quad \square \\ \hline \square\ 4 \end{array}$$

13
$$\begin{array}{r} 4\ 6 \\ -\quad \square \\ \hline \square\ 9 \end{array}$$

14 $64-\square=\square9$

15 $73-\square=\square8$

16
$$\begin{array}{r} 3\ \square \\ -\quad 5 \\ \hline \square\ 7 \end{array}$$

17
$$\begin{array}{r} 6\ \square \\ -\quad 7 \\ \hline \square\ 6 \end{array}$$

18
$$\begin{array}{r} 8\ \square \\ -\quad 9 \\ \hline \square\ 5 \end{array}$$

19 $4\square-9=\square7$

20 $9\square-7=\square9$

보기 를 참고하여 어떤 두 수를 각각 구하시오. (21~25)

보기

수 1, 2, 3, 4 중에서 어떤 두 수의 합이 5, 차가 3인 경우는 두 수가 4와 1일 때입니다. 4+1=5(합), 4−1=3(차)

21 두 수의 합이 31, 차가 15인 경우의 두 수 찾기

8 15 23 16 (,)

22 두 수의 합이 43, 차가 25인 경우의 두 수 찾기

9 20 34 23 (,)

23 두 수의 합이 50, 차가 34인 경우의 두 수 찾기

8 14 36 42 (,)

24 두 수의 합이 72, 차가 54인 경우의 두 수 찾기

9 10 62 63 (,)

25 두 수의 합이 61, 차가 49인 경우의 두 수 찾기

8 6 53 55 (,)

□ 안에 넣을 수 있는 수 중 가장 큰 수를 써넣으시오. (26~31)

26 12 − □ > 5

27 43 − □ > 35

28 51 − □ > 42

29 35 − □ > 27

30 64 − □ > 58

31 72 − □ > 68

주어진 3장의 숫자 카드 중 2장을 골라 가장 작은 몇십 몇을 만든 뒤, 나머지 한 장의 카드에 쓰인 수를 빼면 얼마인지 구하시오. (32~34)

32

2

→ □□ − □ = □□

33

4

→ □□ − □ = □□

34

9

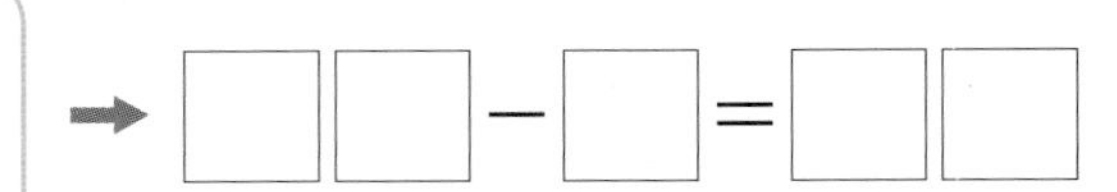

→ □□ − □ = □□

사고력 기르기

마주 보고 있는 두 수의 차가 같도록 빈칸에 알맞은 수를 써넣으시오. (01~08)

01

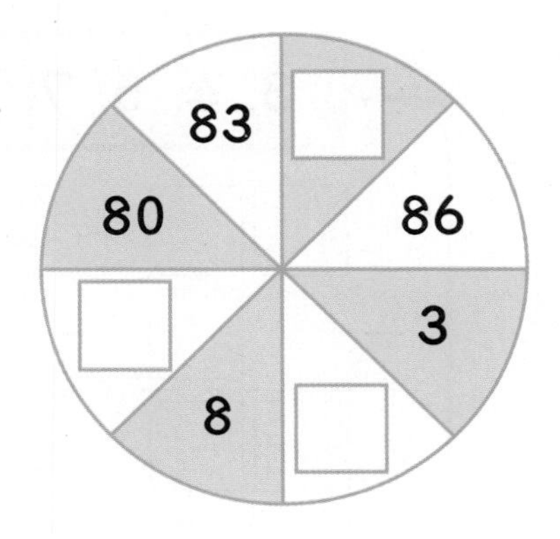

02

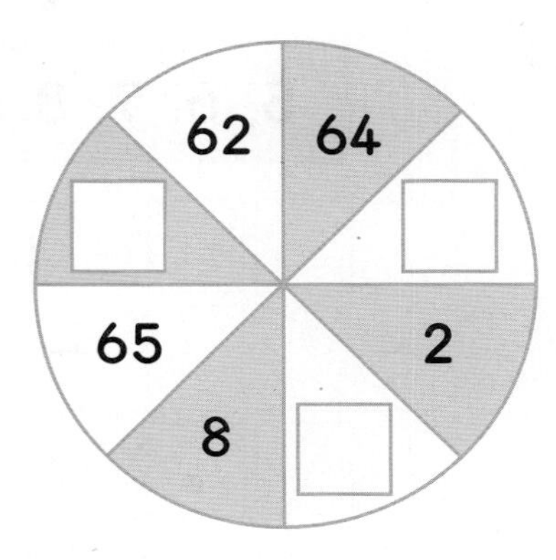

03

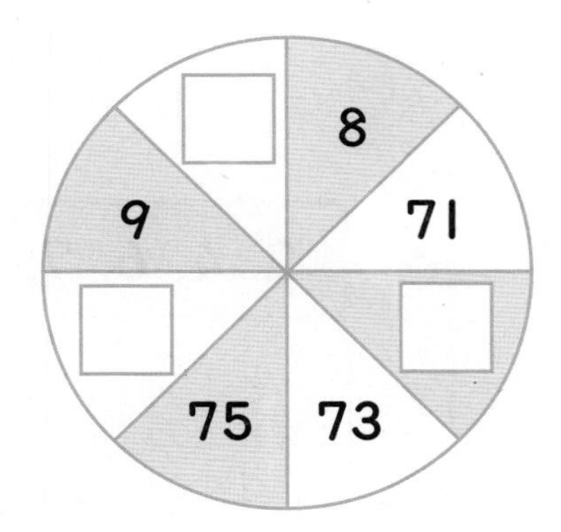

04

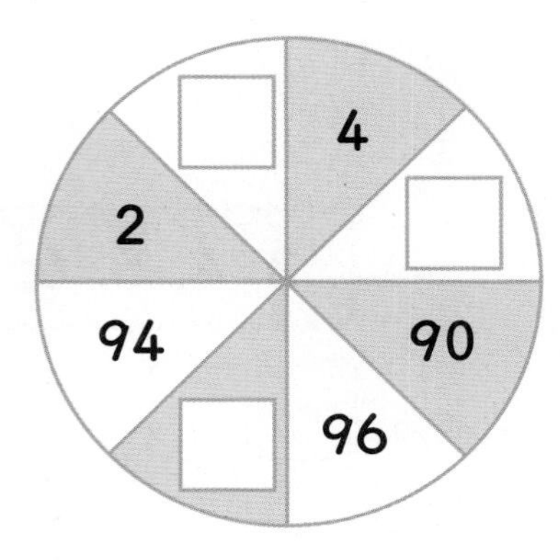

05

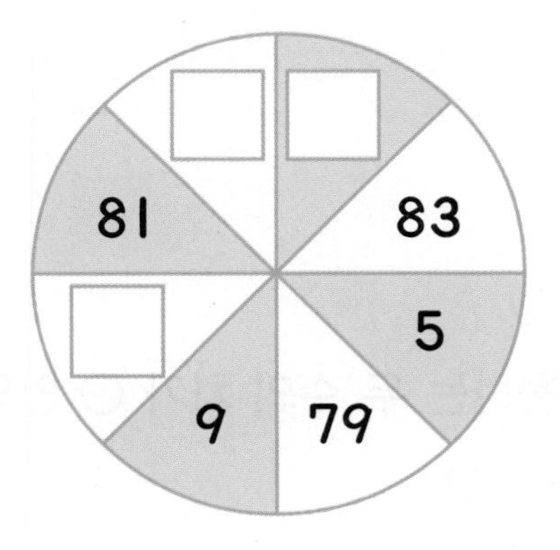

06

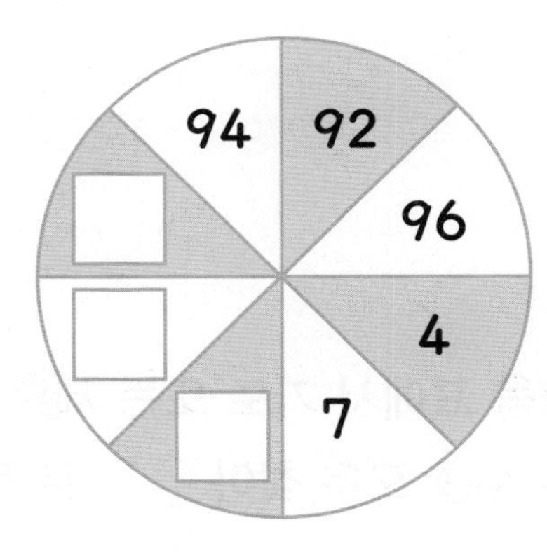

07

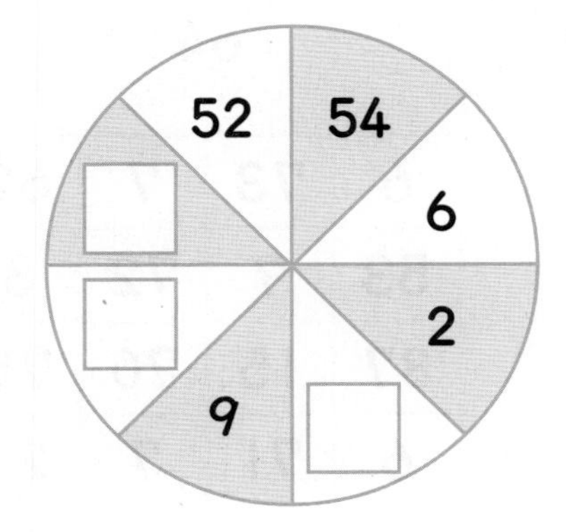

08

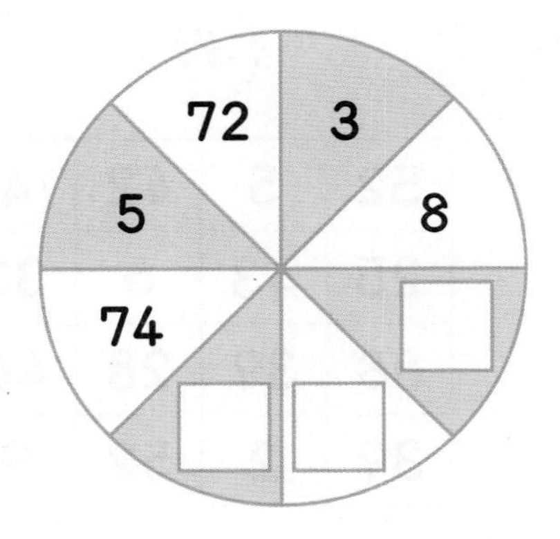

□ 안의 수를 모두 한 번씩 써넣어 뺄셈식을 완성시키시오. (09~12)

09

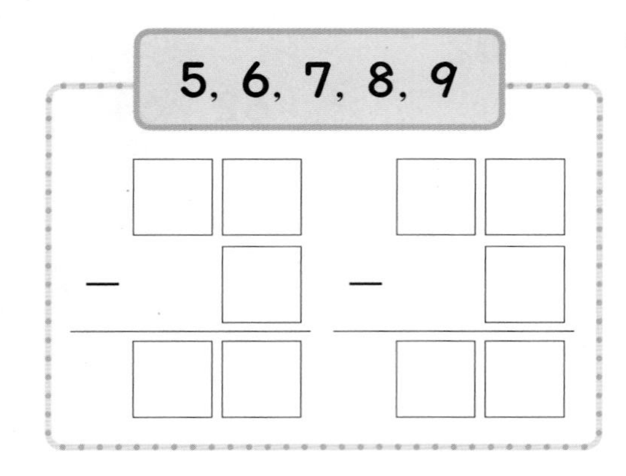

10

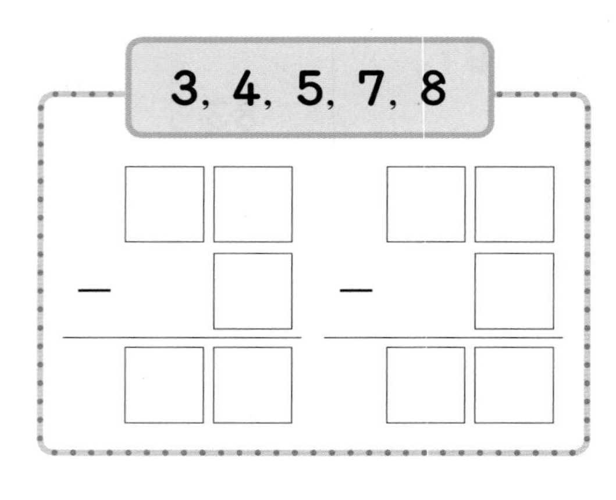

11

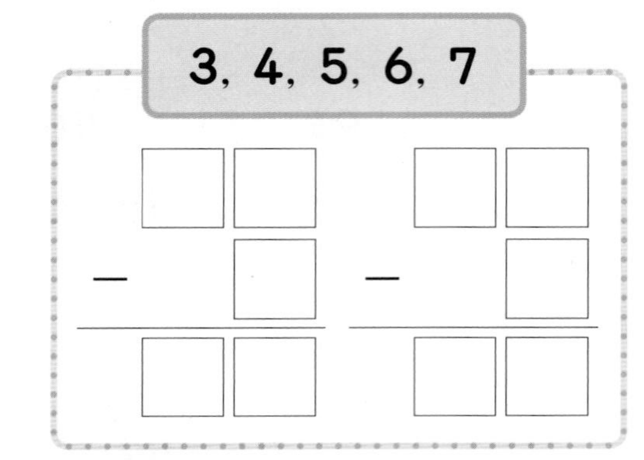

12

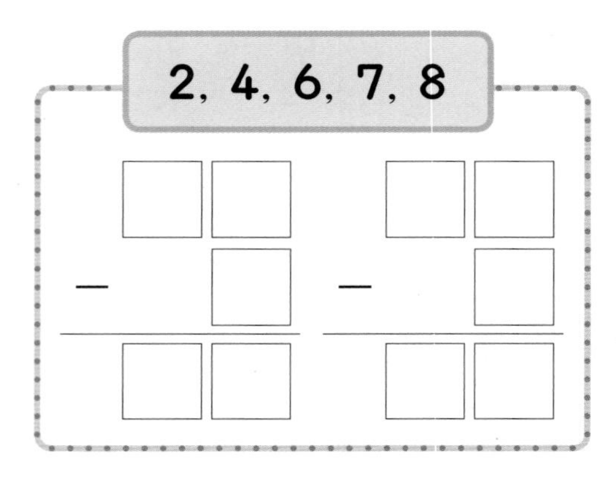

다음 표에서 가로 또는 세로 방향으로 이웃하는 두 수의 차가 ○ 안의 수가 되는 두 수를 모두 찾아 ⊂⊃로 묶으시오. (13~14)

13

(37)

52	5	42	4
25	43	6	33
68	39	28	46
39	2	52	9

14

(64)

6	73	7	62
53	9	72	8
87	15	70	75
6	71	7	21

왼쪽 숫자 카드 중에서 3장을 골라 (두 자리 수)−(한 자리 수)의 뺄셈식이 성립하도록 □ 안에 알맞은 수를 써넣으시오. (15~17)

15

83	74	5	64
8	6	7	63
76	72	66	58

83 − 7 = 76
□ − □ = □
□ − □ = □

16

4	73	67	53
45	7	8	9
58	40	46	65

□ − □ = □
□ − □ = □
□ − □ = □
□ − □ = □

17

75	3	92	4
6	84	83	59
8	58	79	69

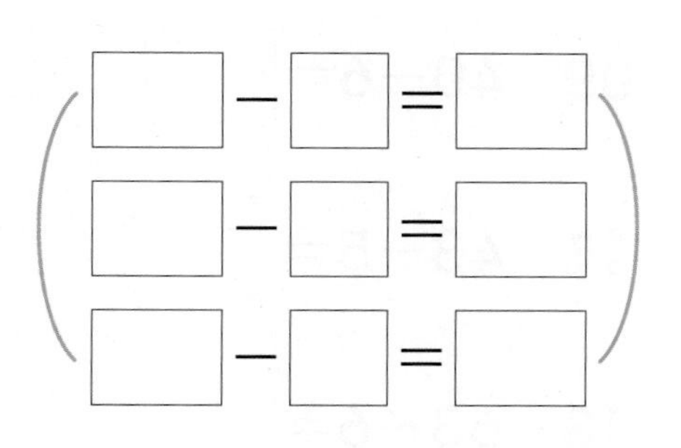

실력 점검

□ 안에 알맞은 수를 써넣으시오. (01~02)

01

$$\begin{array}{r} 80 \\ -\ \ 3 \\ \hline \end{array} \rightarrow \begin{array}{r} \square\ \square \\ \not{8}\ 0 \\ -\ \ 3 \\ \hline \square \end{array} \rightarrow \begin{array}{r} \square\ \square \\ \not{8}\ 0 \\ -\ \ 3 \\ \hline \square\ \square \end{array}$$

02

$$\begin{array}{r} 62 \\ -\ \ 5 \\ \hline \end{array} \rightarrow \begin{array}{r} \square\ \square \\ \not{6}\ 2 \\ -\ \ 5 \\ \hline \square \end{array} \rightarrow \begin{array}{r} \square\ \square \\ \not{6}\ 2 \\ -\ \ 5 \\ \hline \square\ \square \end{array}$$

계산을 하시오. (03~08)

03 $\begin{array}{r} 20 \\ -\ \ 9 \\ \hline \square \end{array}$ **04** $\begin{array}{r} 90 \\ -\ \ 8 \\ \hline \square \end{array}$ **05** $\begin{array}{r} 37 \\ -\ \ 9 \\ \hline \square \end{array}$

06 $\begin{array}{r} 61 \\ -\ \ 4 \\ \hline \square \end{array}$ **07** $\begin{array}{r} 46 \\ -\ \ 8 \\ \hline \square \end{array}$ **08** $\begin{array}{r} 32 \\ -\ \ 5 \\ \hline \square \end{array}$

계산을 하시오. (09~14)

09 $40-6=\square$ **10** $60-7=\square$

11 $43-5=\square$ **12** $52-4=\square$

13 $63-6=\square$ **14** $72-8=\square$

15 주어진 4개의 수 중에서 합이 50, 차가 36인 두 수를 찾아 쓰시오.

36 43 14 7

(,)

16 주어진 4개의 수 중에서 합이 33, 차가 15인 두 수를 찾아 쓰시오.

24 4 9 29

(,)

주어진 3장의 숫자 카드 중 2장을 골라 가장 작은 몇십 몇을 만든 뒤, 나머지 한 장의 카드에 쓰인 수를 빼면 얼마인지 구하시오. (17~18)

17 5 3 8 → □□ − □ = □□

18 6 5 7 → □□ − □ = □□

□ 안의 수를 모두 한 번씩 써넣어 뺄셈식을 완성시키시오. (19~20)

19 2, 3, 4, 6, 8

20 1, 4, 7, 8, 9

05 받아내림 있는 (몇십 몇)－(몇십 몇)

개념

1. 40－25의 계산

$$\begin{array}{r} 40 \\ -\ 25 \\ \hline \end{array} \rightarrow \begin{array}{r} \overset{3}{\cancel{4}}\overset{10}{0} \\ -\ 2\ 5 \\ \hline 5 \end{array} \rightarrow \begin{array}{r} \overset{3}{\cancel{4}}\overset{10}{0} \\ -\ 2\ 5 \\ \hline 1\ 5 \end{array}$$

2. 52－27의 계산

$$\begin{array}{r} 52 \\ -\ 27 \\ \hline \end{array} \rightarrow \begin{array}{r} \overset{4}{\cancel{5}}\overset{10}{2} \\ -\ 2\ 7 \\ \hline 5 \end{array} \rightarrow \begin{array}{r} \overset{4}{\cancel{5}}\overset{10}{2} \\ -\ 2\ 7 \\ \hline 2\ 5 \end{array}$$

일의 자리 숫자끼리 뺄 수 없을 때에는 십의 자리에서 받아내림 하여 계산합니다.

□ 안에 알맞은 수를 써넣으시오. (01~03)

01

$$\begin{array}{r} 6\ 0 \\ -\ 1\ 2 \\ \hline \end{array} \rightarrow \begin{array}{r} \overset{\square}{\cancel{6}}\ \overset{\square}{0} \\ -\ 1\ 2 \\ \hline \square \end{array} \rightarrow \begin{array}{r} \overset{\square}{\cancel{6}}\ \overset{\square}{0} \\ -\ 1\ 2 \\ \hline \square\ \square \end{array}$$

02

$$\begin{array}{r} 5\ 4 \\ -\ 1\ 7 \\ \hline \end{array} \rightarrow \begin{array}{r} \overset{\square}{\cancel{5}}\ \overset{\square}{4} \\ -\ 1\ 7 \\ \hline \square \end{array} \rightarrow \begin{array}{r} \overset{\square}{\cancel{5}}\ \overset{\square}{4} \\ -\ 1\ 7 \\ \hline \square\ \square \end{array}$$

03

$$\begin{array}{r} 6\ 2 \\ -\ 3\ 9 \\ \hline \end{array} \rightarrow \begin{array}{r} \overset{\square}{\cancel{6}}\ \overset{\square}{2} \\ -\ 3\ 9 \\ \hline \square \end{array} \rightarrow \begin{array}{r} \overset{\square}{\cancel{6}}\ \overset{\square}{2} \\ -\ 3\ 9 \\ \hline \square\ \square \end{array}$$

계산을 하시오. (04~12)

04
$$\begin{array}{r} 50 \\ -\ 25 \\ \hline \square \end{array}$$

05
$$\begin{array}{r} 60 \\ -\ 37 \\ \hline \square \end{array}$$

06
$$\begin{array}{r} 90 \\ -\ 58 \\ \hline \square \end{array}$$

07
$$\begin{array}{r} 41 \\ -\ 17 \\ \hline \square \end{array}$$

08
$$\begin{array}{r} 54 \\ -\ 25 \\ \hline \square \end{array}$$

09
$$\begin{array}{r} 82 \\ -\ 25 \\ \hline \square \end{array}$$

10
$$\begin{array}{r} 84 \\ -\ 37 \\ \hline \square \end{array}$$

11
$$\begin{array}{r} 54 \\ -\ 28 \\ \hline \square \end{array}$$

12
$$\begin{array}{r} 72 \\ -\ 45 \\ \hline \square \end{array}$$

계산을 하시오. (13~20)

13 $40-12=\square$

14 $60-23=\square$

15 $67-39=\square$

16 $93-54=\square$

17 $82-27=\square$

18 $84-36=\square$

19 $43-26=\square$

20 $61-23=\square$

사고력 기르기

Step 1

빽셈식이 성립하도록 □ 안에 알맞은 숫자를 써넣으시오. (01~20)

01 $\begin{array}{r} 4\ 3 \\ -\ 1\ \square \\ \hline 2\ 5 \end{array}$

02 $\begin{array}{r} 5\ 2 \\ -\ 2\ \square \\ \hline 2\ 9 \end{array}$

03 $\begin{array}{r} 7\ 5 \\ -\ 3\ \square \\ \hline 3\ 7 \end{array}$

04 $64-1\square=49$

05 $81-3\square=47$

06 $\begin{array}{r} 5\ \square \\ -\ 3\ 6 \\ \hline 1\ 6 \end{array}$

07 $\begin{array}{r} 6\ \square \\ -\ 2\ 5 \\ \hline 3\ 8 \end{array}$

08 $\begin{array}{r} 8\ \square \\ -\ 3\ 4 \\ \hline 4\ 6 \end{array}$

09 $9\square-55=37$

10 $7\square-17=55$

11 $\begin{array}{r} 4\ 1 \\ -\ \square\ 5 \\ \hline 2\ \square \end{array}$

12 $\begin{array}{r} 6\ 3 \\ -\ \square\ 4 \\ \hline 1\ \square \end{array}$

13 $\begin{array}{r} 9\ 6 \\ -\ \square\ 8 \\ \hline 3\ \square \end{array}$

14 $51-\square3=2\square$

15 $60-\square5=3\square$

16 $\begin{array}{r} \square\ 3 \\ -\ 3\ 7 \\ \hline 3\ \square \end{array}$

17 $\begin{array}{r} \square\ 5 \\ -\ 1\ 9 \\ \hline 7\ \square \end{array}$

18 $\begin{array}{r} \square\ 4 \\ -\ 2\ 8 \\ \hline 5\ \square \end{array}$

19 $\square2-45=1\square$

20 $\square6-59=3\square$

뺄셈식이 성립하도록 □ 안에 알맞은 숫자를 써넣으시오. (21~30)

21
$$\begin{array}{r} \square\ 4 \\ -\ 2\ \square \\ \hline 4\ 7 \end{array}$$

22
$$\begin{array}{r} \square\ 2 \\ -\ 3\ \square \\ \hline 2\ 4 \end{array}$$

23
$$\begin{array}{r} \square\ 3 \\ -\ 4\ \square \\ \hline 1\ 4 \end{array}$$

24 □5−1□=38

25 □0−2□=64

26
$$\begin{array}{r} 7\ \square \\ -\ \square\ 4 \\ \hline 5\ 8 \end{array}$$

27
$$\begin{array}{r} 8\ \square \\ -\ \square\ 9 \\ \hline 2\ 4 \end{array}$$

28

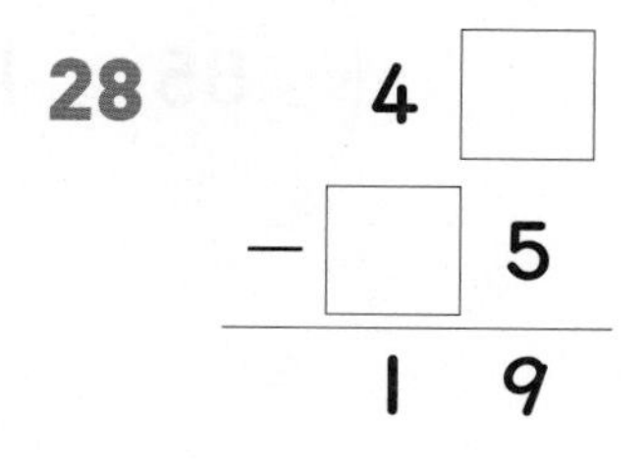

$$\begin{array}{r} 4\ \square \\ -\ \square\ 5 \\ \hline 1\ 9 \end{array}$$

29 5□−□6=28

30 6□−□5=49

거꾸로 뛰어서 센 것입니다. 규칙을 찾아 빈칸에 알맞은 수를 써넣으시오. (31~33)

31 85 — 72 — □ — □ — 33

32 95 — 78 — 61 — □ — □

33 83 — 65 — □ — □ — 11

보기 를 참고하여 빈 곳에 알맞은 수를 써넣으시오. (34~39)

보기

가 나

8 3 2

왼쪽 그림에서 원 **가**에 들어 있는 두 수의 차가 **8−3=5**이고, 원 **나**에 들어 있는 두 수의 합도 **3+2=5**로 같습니다.

34 가 나

55 18

35 가 나

80 16

36 가 나

77 29

37 가 나

92 38

38 가 나

83 27

39 가 나

52 17

사고력 기르기

Step 2

□ 안에 숫자 또는 +, −를 알맞게 써넣어 식을 완성하시오. (01~12)

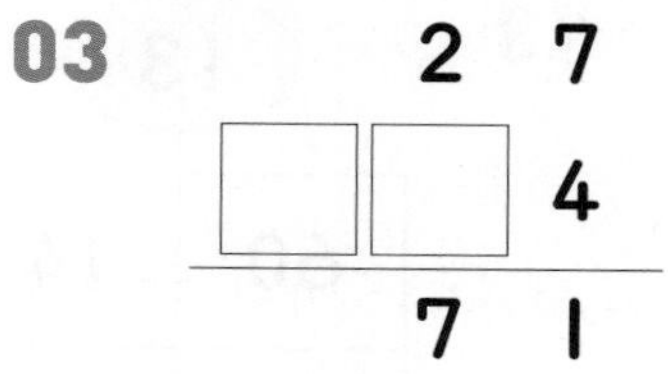

01

$$\begin{array}{rrr} & \square & 2 \\ \square & 1 & 6 \\ \hline & 2 & 6 \end{array}$$

02

$$\begin{array}{rrr} & 8 & \square \\ \square & 3 & 7 \\ \hline & 4 & 6 \end{array}$$

03

$$\begin{array}{rrr} & 2 & 7 \\ \square & \square & 4 \\ \hline & 7 & 1 \end{array}$$

04

$$\begin{array}{rrr} & 3 & 6 \\ \square & 2 & \square \\ \hline & 6 & 4 \end{array}$$

05

$$\begin{array}{rrr} & 6 & 6 \\ \square & \square & 8 \\ \hline & 3 & 8 \end{array}$$

06

$$\begin{array}{rrr} & 7 & 4 \\ \square & 4 & \square \\ \hline & 2 & 7 \end{array}$$

07

$$\begin{array}{rrr} & \square & 7 \\ \square & 3 & 5 \\ \hline & 8 & 2 \end{array}$$

08

$$\begin{array}{rrr} & 5 & \square \\ \square & 2 & 9 \\ \hline & 2 & 7 \end{array}$$

09

$$\begin{array}{rrr} & 3 & \square \\ \square & 1 & 6 \\ \hline & 5 & 5 \end{array}$$

10

$$\begin{array}{rrr} & 7 & 2 \\ \square & 3 & \square \\ \hline & 3 & 3 \end{array}$$

11

$$\begin{array}{rrr} & 6 & 7 \\ \square & 2 & 4 \\ \hline & \square & 1 \end{array}$$

12

$$\begin{array}{rrr} & 9 & 8 \\ \square & 2 & 5 \\ \hline & \square & 3 \end{array}$$

두 수의 차가 ⬭ 안의 수가 되도록 두 수를 찾아 △표 하시오. (13~21)

13 (13)

60	14
25	33
68	47

14 (26)

26	92
18	42
66	54

15 (54)

90	38
80	22
75	26

16 (35)

74	17
85	29
52	62

17 (47)

27	24
82	72
36	74

18 (68)

13	71
19	25
88	87

19 (63)

75	28
42	85
91	23
27	88

20 (25)

19	72
51	84
96	36
25	47

21 (49)

93	71
82	24
45	20
33	99

주어진 숫자 카드 중 4장을 뽑아 두 자리 수를 2개 만들 때, 두 수의 합이 가장 큰 경우와 두 수의 차가 가장 작은 경우를 각각 구하시오. (22~25)

22

합이 가장 클 때

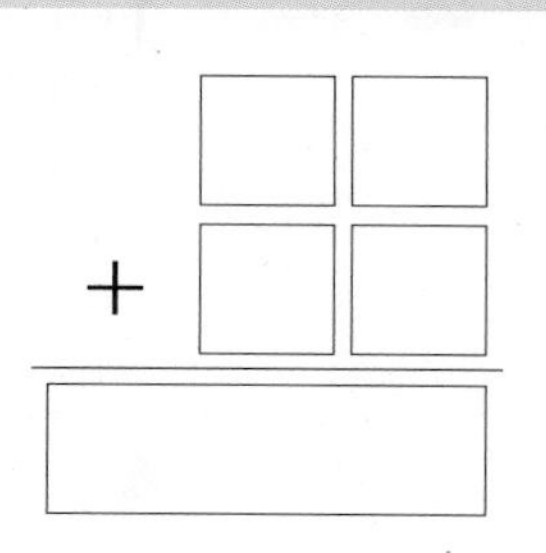

차가 가장 작을 때

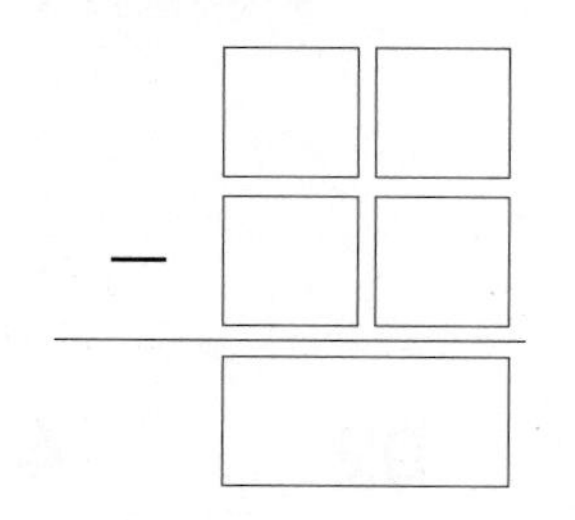

23

합이 가장 클 때

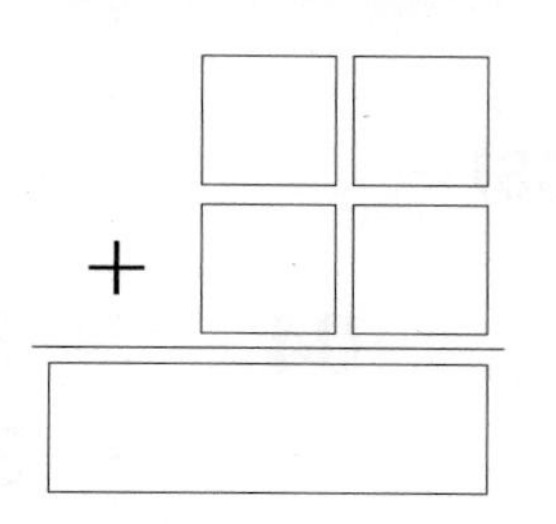

차가 가장 작을 때

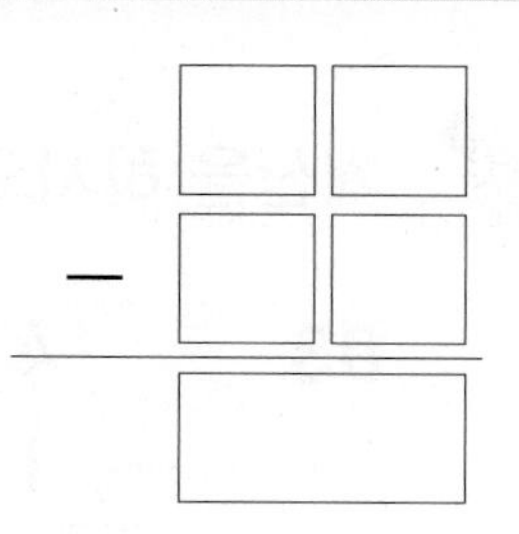

24

합이 가장 클 때

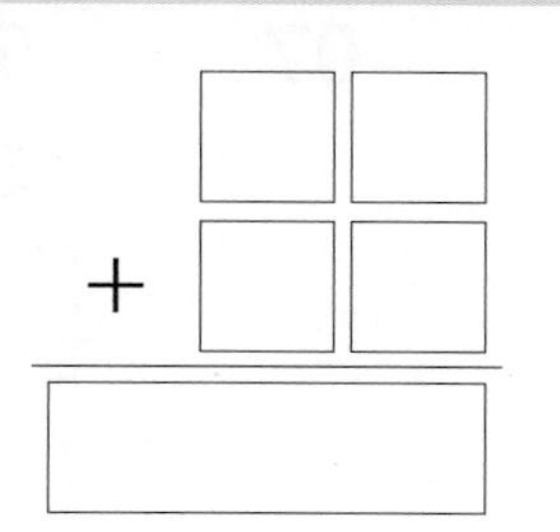

차가 가장 작을 때

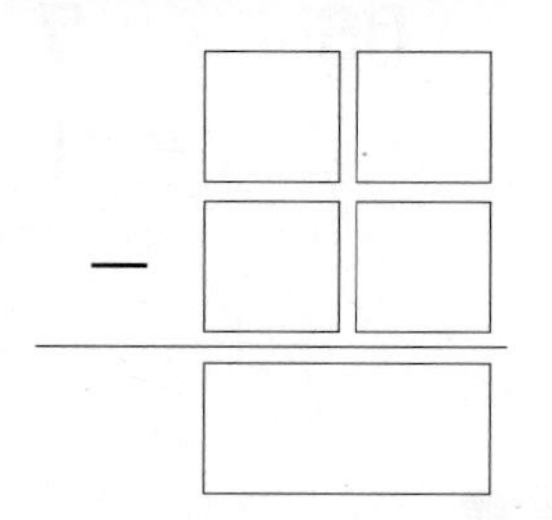

25

합이 가장 클 때

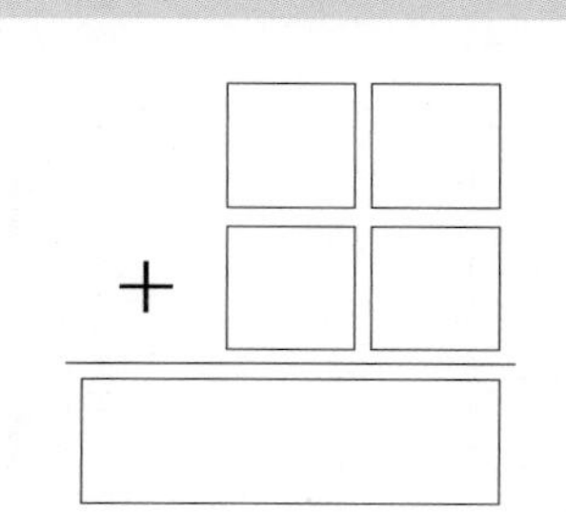

차가 가장 작을 때

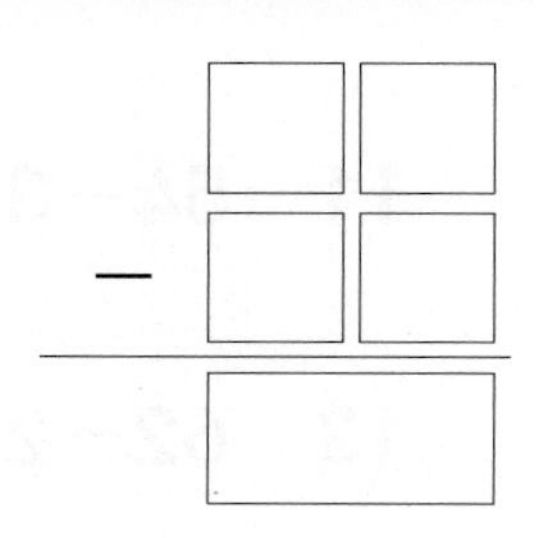

실력 점검

□ 안에 알맞은 수를 써넣으시오. (01~02)

01

$$\begin{array}{r} 3\ 0 \\ -\ 1\ 7 \\ \hline \end{array} \rightarrow \begin{array}{r} \square\ \square \\ \not{3}\ 0 \\ -\ 1\ 7 \\ \hline \square \end{array} \rightarrow \begin{array}{r} \square\ \square \\ \not{3}\ 0 \\ -\ 1\ 7 \\ \hline \square\ \square \end{array}$$

02

$$\begin{array}{r} 4\ 1 \\ -\ 1\ 5 \\ \hline \end{array} \rightarrow \begin{array}{r} \square\ \square \\ \not{4}\ 1 \\ -\ 1\ 5 \\ \hline \square \end{array} \rightarrow \begin{array}{r} \square\ \square \\ \not{4}\ 1 \\ -\ 1\ 5 \\ \hline \square\ \square \end{array}$$

계산을 하시오. (03~08)

03 $\begin{array}{r} 4\ 0 \\ -\ 1\ 8 \\ \hline \square \end{array}$

04 $\begin{array}{r} 7\ 0 \\ -\ 3\ 6 \\ \hline \square \end{array}$

05 $\begin{array}{r} 6\ 2 \\ -\ 2\ 8 \\ \hline \square \end{array}$

06 $\begin{array}{r} 7\ 2 \\ -\ 1\ 9 \\ \hline \square \end{array}$

07 $\begin{array}{r} 9\ 2 \\ -\ 5\ 4 \\ \hline \square \end{array}$

08 $\begin{array}{r} 5\ 1 \\ -\ 3\ 8 \\ \hline \square \end{array}$

계산을 하시오. (09~14)

09 $30-11=\square$

10 $80-29=\square$

11 $54-37=\square$

12 $41-23=\square$

13 $62-28=\square$

14 $51-24=\square$

빨셈식이 성립하도록 □ 안에 알맞은 숫자를 써넣으시오. (15~17)

15

$$\begin{array}{r} \square\ 4 \\ -\ 3\ \square \\ \hline 4\ 8 \end{array}$$

16

$$\begin{array}{r} \square\ 2 \\ -\ 3\ \square \\ \hline 3\ 4 \end{array}$$

17

$$\begin{array}{r} \square\ 4 \\ -\ 4\ \square \\ \hline 1\ 5 \end{array}$$

보기 를 참고하여 빈 곳에 알맞은 수를 써넣으시오. (18~19)

보기

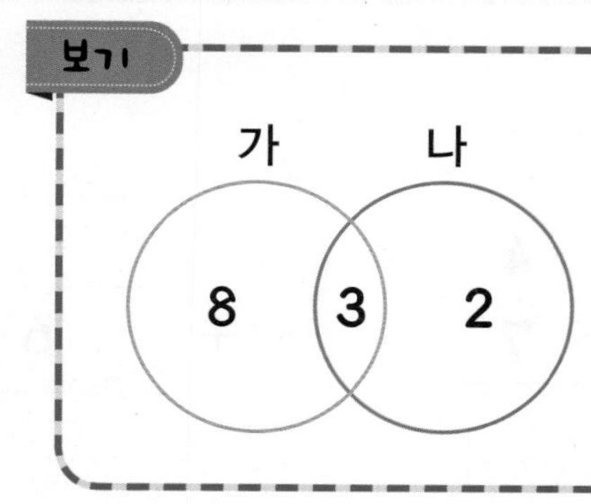

왼쪽 그림에서 원 가에 들어 있는 두 수의 차가 $8-3=5$이고, 원 나에 들어 있는 두 수의 합도 $3+2=5$로 같습니다.

18

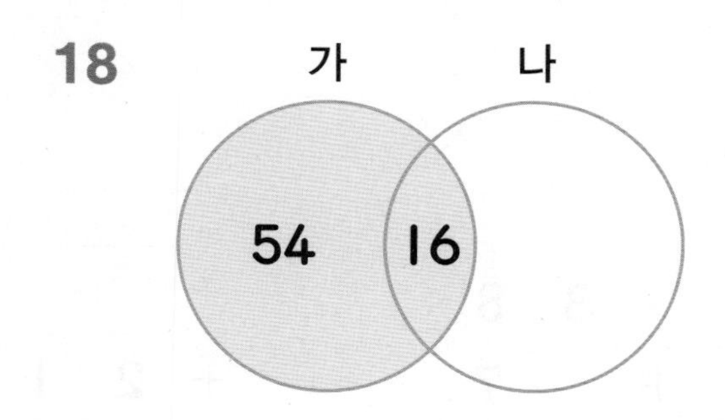

19

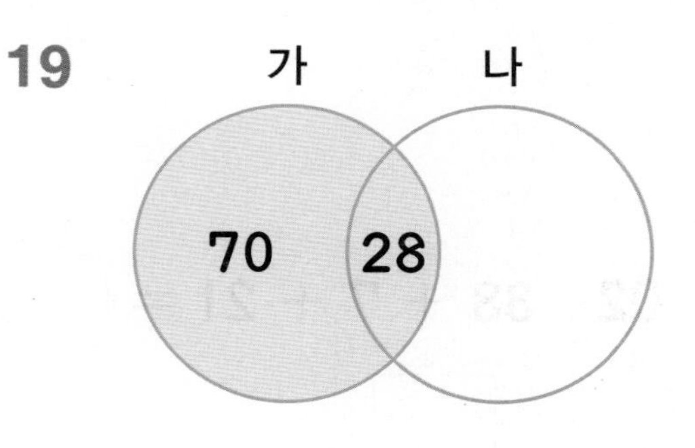

20 주어진 숫자 카드 중 4장을 뽑아 두 자리 수를 2개 만들 때, 두 수의 합이 가장 큰 경우와 두 수의 차가 가장 작은 경우를 각각 구하시오.

합이 가장 클 때

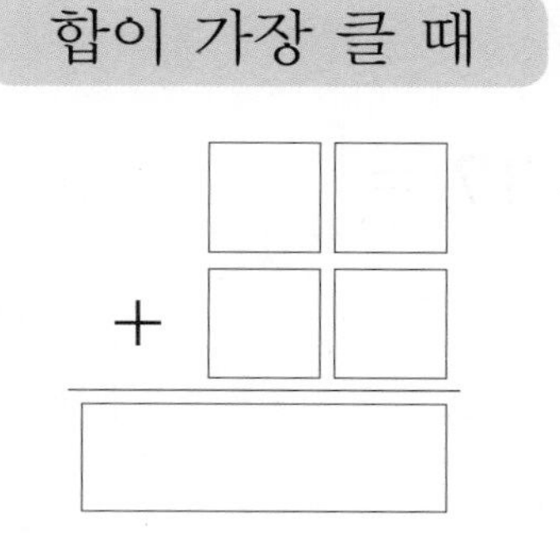

차가 가장 작을 때

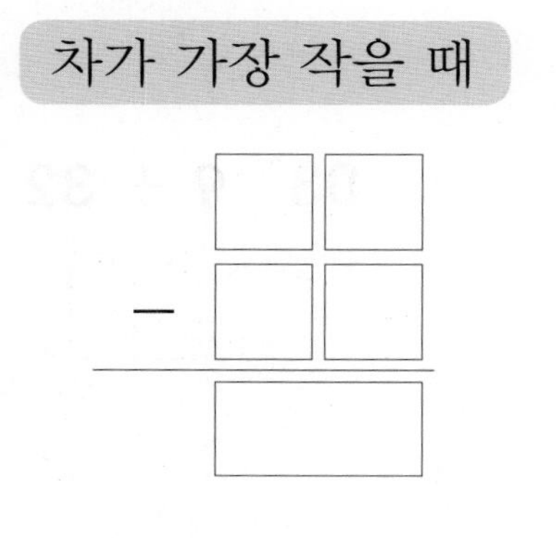

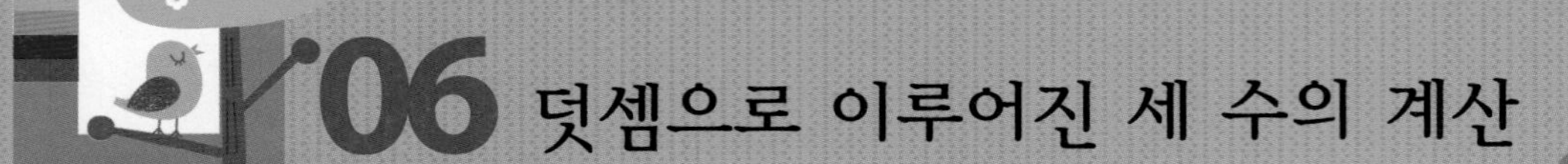

06 덧셈으로 이루어진 세 수의 계산

개념

1. 25+16+9의 계산

$25 + 16 + 9 = 50$

25 + 16 = 41, 41 + 9 = 50

$$\begin{array}{r} 25 \\ +\ 16 \\ \hline 41 \end{array} \rightarrow \begin{array}{r} 41 \\ +\ \ 9 \\ \hline 50 \end{array}$$

2. 15+27+12의 계산

$15 + 27 + 12 = 54$

15 + 27 = 42, 42 + 12 = 54

$$\begin{array}{r} 15 \\ +\ 27 \\ \hline 42 \end{array} \rightarrow \begin{array}{r} 42 \\ +\ 12 \\ \hline 54 \end{array}$$

□ 안에 알맞은 수를 써넣으시오. (01~03)

01 $14 + 37 + 6 =$ □

14 + 37 = □, □ + 6 = □

$$\begin{array}{r} 14 \\ +\ 37 \\ \hline \square \end{array} \rightarrow \begin{array}{r} \square \\ +\ \ 6 \\ \hline \square \end{array}$$

02 $38 + 7 + 21 =$ □

38 + 7 = □, □ + 21 = □

$$\begin{array}{r} 38 \\ +\ \ 7 \\ \hline \square \end{array} \rightarrow \begin{array}{r} \square \\ +\ 21 \\ \hline \square \end{array}$$

03 $9 + 32 + 17 =$ □

9 + 32 = □, □ + 17 = □

$$\begin{array}{r} 9 \\ +\ 32 \\ \hline \square \end{array} \rightarrow \begin{array}{r} \square \\ +\ 17 \\ \hline \square \end{array}$$

□ 안에 알맞은 수를 써넣으시오. (04~06)

04 $19 + 25 + 17 = \square$

$$\begin{array}{r} 1\ 9 \\ +\ 2\ 5 \\ \hline \square \end{array} \rightarrow \begin{array}{r} \square \\ +\ 1\ 7 \\ \hline \square \end{array}$$

05 $18 + 26 + 39 = \square$

$$\begin{array}{r} 1\ 8 \\ +\ 2\ 6 \\ \hline \square \end{array} \rightarrow \begin{array}{r} \square \\ +\ 3\ 9 \\ \hline \square \end{array}$$

06 $43 + 18 + 35 = \square$

$$\begin{array}{r} 4\ 3 \\ +\ 1\ 8 \\ \hline \square \end{array} \rightarrow \begin{array}{r} \square \\ +\ 3\ 5 \\ \hline \square \end{array}$$

계산을 하시오. (07~16)

07 $36+15+7=\square$

08 $19+8+35=\square$

09 $4+39+25=\square$

10 $29+17+6=\square$

11 $25+15+36=\square$

12 $29+18+32=\square$

13 $42+18+35=\square$

14 $26+38+11=\square$

15 $26+25+40=\square$

16 $17+21+54=\square$

사고력 기르기

Step 1

♡, △, ☆은 0이 아닌 서로 다른 숫자입니다. 세 수의 합을 가장 작게 하려고 할 때, 빈칸에 알맞은 수를 써넣으시오. (단, ♡ < △ < ☆입니다.) **(01~03)**

01

♡6 + △8 + ☆7

→ □6 + □8 + □7 = □

02

♡5 + △9 + ☆8

→ □5 + □9 + □8 = □

03

♡7 + △8 + ☆8

→ □7 + □8 + □8 = □

○, □, △는 서로 다른 숫자입니다. 세 수의 합을 가장 크게 하려고 할 때, 빈칸에 알맞은 수를 써넣으시오. (단, ○ < □ < △입니다.) **(04~05)**

04

5○ + 2□ + 3△

→ 5□ + 2□ + 3□ = □

05

3○ + 4□ + 6△

→ 3□ + 4□ + 6□ = □

각각의 주어진 식에서 ●의 값이 될 수 있는 수 중 가장 큰 수를 구하시오.

(06~09)

06 $25+38+● < 99$ ●= □

07 $●+17+59 < 92$ ●= □

08 $36+●+25 < 80$ ●= □

09 $14+●+39 < 71$ ●= □

각각의 주어진 식에서 ◆의 값이 될 수 있는 수 중 가장 작은 수를 구하시오.

(10~13)

10 $18+27+◆ > 60$ ◆= □

11 $◆+35+37 > 95$ ◆= □

12 $26+◆+26 > 90$ ◆= □

13 $15+◆+28 > 73$ ◆= □

보기 를 참고하여 빈칸에 알맞은 수를 써넣으시오. (14~17)

보기

	2	
	5	
3	1	4

합7 (2, 5) / 합7 (3, 4)

왼쪽 그림에서 파란 선 안의 세 수의 합이 $2+5+1=8$이고, 빨간 선 안의 세 수의 합도 $3+1+4=8$입니다. 이때 1은 파란 선과 빨간 선 안에 공통으로 들어 있는 수이므로 1을 제외한 나머지 수들의 합은 각각 7로 같습니다.

14

	19	
	25	
28	7	

15

	36	
	56	
47	18	

16

	23	
55	17	26

17

	38	
33	45	33

♥에 알맞은 숫자는 무엇인지 구하시오. (18~19)

18 1♥ + 3♥ + 4♥ = 98　　♥ = ☐

19 2♥ + 2♥ + 3♥ = 91　　♥ = ☐

사고력 기르기

Step 2

주어진 수 카드에서 3장의 수 카드를 사용하여 세 수의 합이 ◯ 안의 수가 되도록 하시오. (단, □ 안에는 세 수 중 가장 작은 수부터 쓰시오.) (01~05)

01 23, 57, 64, 82

□ + □ + □ = 162

02 24, 38, 59, 61

□ + □ + □ = 144

03 32, 49, 58, 64, 87

□ + □ + □ = 177

04 26, 38, 43, 74, 82

□ + □ + □ = 151

05 27, 33, 73, 79, 82

□ + □ + □ = 188

가로와 세로에 놓인 세 수의 합이 모두 같도록 빈칸에 알맞은 수를 써넣으시오. (06~11)

06

28	39	84
53		
	35	46

07

48	27	69
		34
68	35	

08

46		54
27		
69	15	

09

68		
		15
23	49	79

10

73		29
25		65
		58

11

64	30	
29		
48	38	

한 줄에 놓인 세 수의 합이 같도록 ○ 안에 알맞은 수를 써넣으시오. (12~17)

12

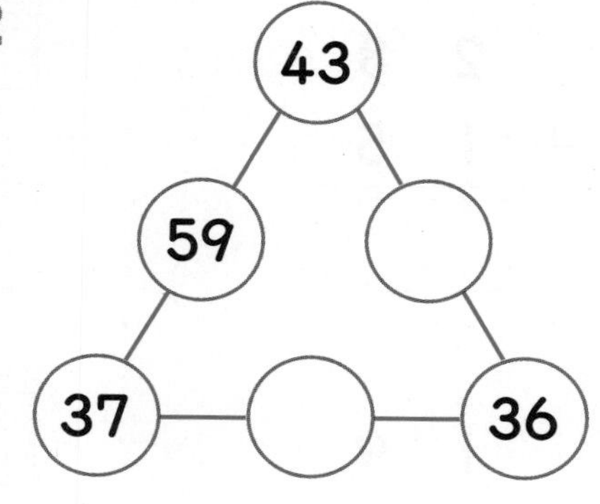

13

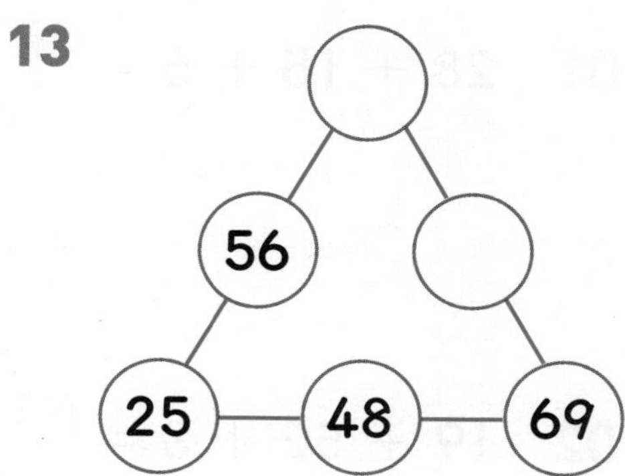

14

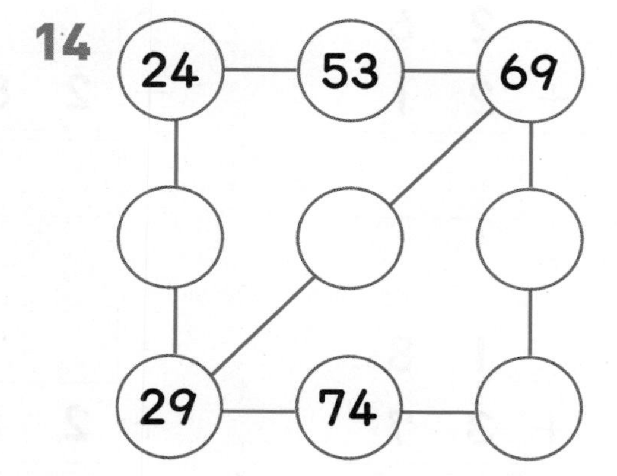

15

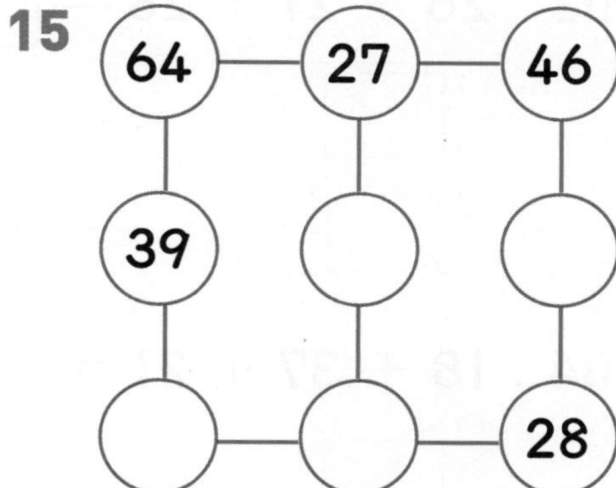

16

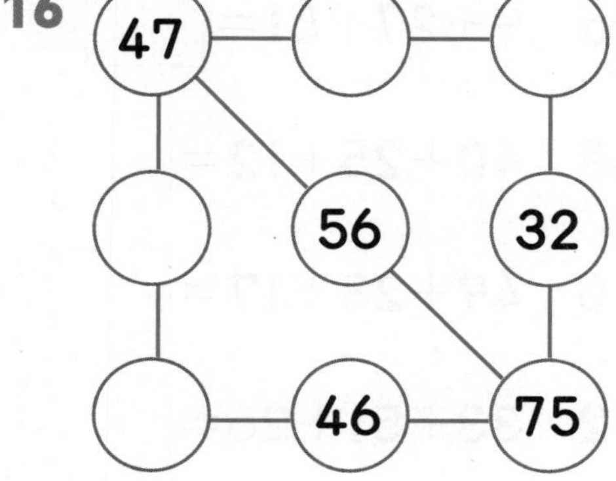

17

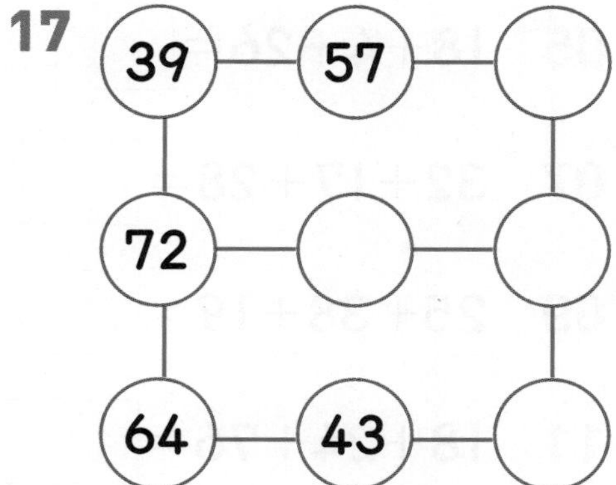

실력 점검

□ 안에 알맞은 수를 써넣으시오. (01~04)

01 28 + 15 + 6 = □

  2 8
+ 1 5
□ → □ + 6 = □

02 19 + 52 + 8 = □

  1 9
+ 5 2
□ → □ + 8 = □

03 26 + 21 + 28 = □

  2 6
+ 2 1
□ → □ + 2 8 = □

04 18 + 37 + 21 = □

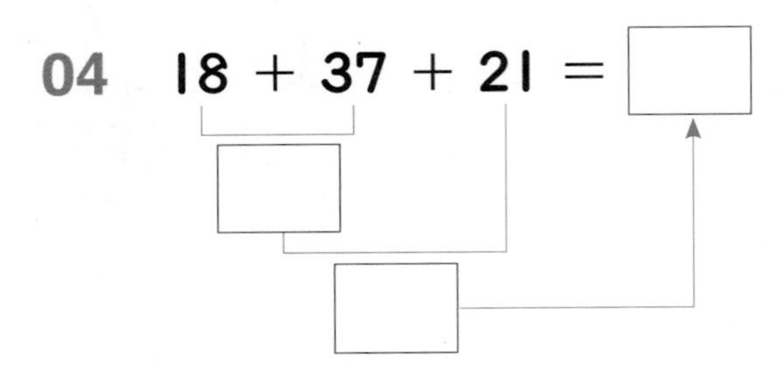

  1 8
+ 3 7
□ → □ + 2 1 = □

계산을 하시오. (05~12)

05 18+4+26=□

06 9+27+51=□

07 32+17+28=□

08 40+25+12=□

09 25+38+19=□

10 49+28+17=□

11 18+24+76=□

12 33+51+26=□

13 ●, ■, ▲는 서로 다른 숫자입니다. 세 수의 합을 가장 크게 하려고 할 때, 빈칸에 알맞은 수를 써넣으시오. (단, ●<■<▲입니다.)

5● + 3■ + 4▲

→ 5☐ + 3☐ + 4☐ = ☐

14 주어진 식에서 ◆의 값이 될 수 있는 수 중 가장 작은 수를 구하시오.

19 + 25 + ◆ > 70

◆ = ☐

♥에 알맞은 숫자는 무엇인지 구하시오. (15~16)

15 1♥ + 2♥ + 4♥ = 85 ♥ = ☐

16 3♥ + 2♥ + 3♥ = 92 ♥ = ☐

한 줄에 놓인 세 수의 합이 같도록 ○ 안에 알맞은 수를 써넣으시오. (17~18)

17

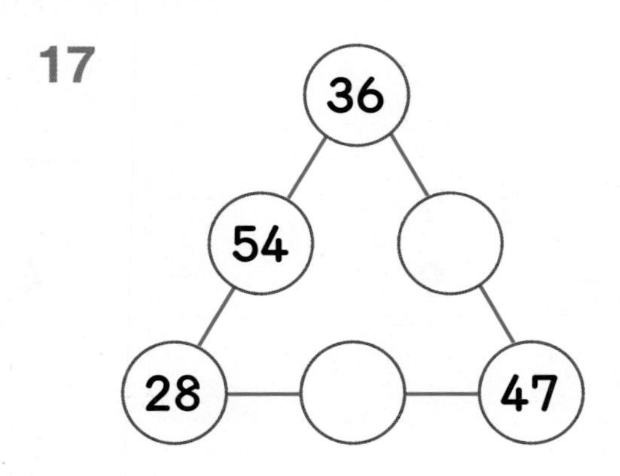

18

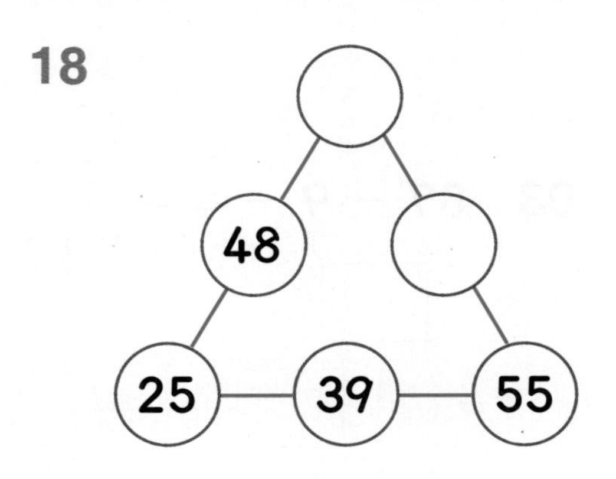

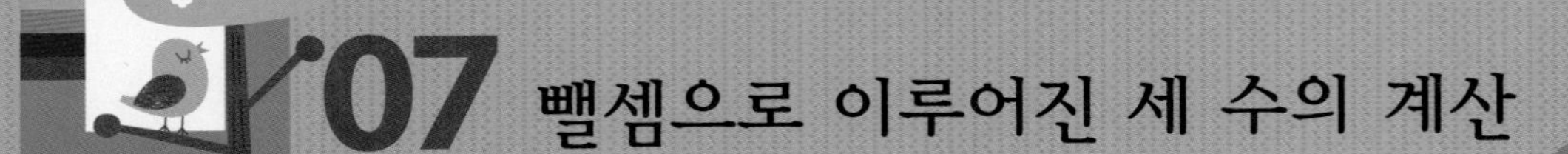

07 뺄셈으로 이루어진 세 수의 계산

개념

1. 33−5−6의 계산

$33 - 5 - 6 = 22$

(33 − 5 = 28, 28 − 6 = 22)

$$\begin{array}{r} 33 \\ -\ \ 5 \\ \hline 28 \end{array} \rightarrow \begin{array}{r} 28 \\ -\ \ 6 \\ \hline 22 \end{array}$$

2. 45−19−17의 계산

$45 - 19 - 17 = 9$

(45 − 19 = 26, 26 − 17 = 9)

$$\begin{array}{r} 45 \\ -\ 19 \\ \hline 26 \end{array} \rightarrow \begin{array}{r} 26 \\ -\ 17 \\ \hline 9 \end{array}$$

□ 안에 알맞은 수를 써넣으시오. (01~03)

01 $42 - 4 - 8 = \square$

(42 − 4 = □, □ − 8 = □)

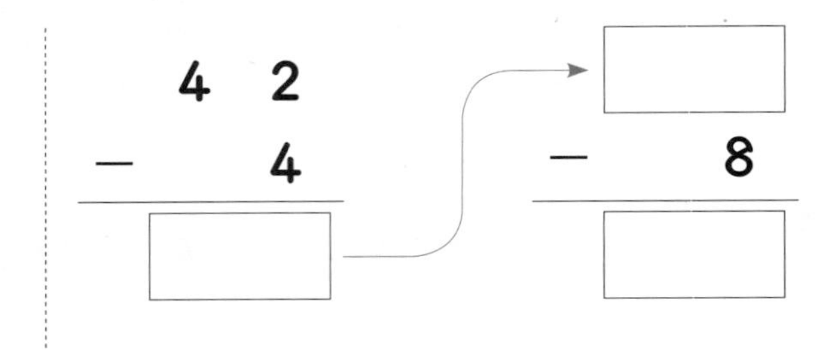

$$\begin{array}{r} 4\ 2 \\ -\ \ \ 4 \\ \hline \square \end{array} \rightarrow \begin{array}{r} \square \\ -\ \ \ 8 \\ \hline \square \end{array}$$

02 $54 - 8 - 5 = \square$

(54 − 8 = □, □ − 5 = □)

$$\begin{array}{r} 5\ 4 \\ -\ \ \ 8 \\ \hline \square \end{array} \rightarrow \begin{array}{r} \square \\ -\ \ \ 5 \\ \hline \square \end{array}$$

03 $87 - 9 - 4 = \square$

(87 − 9 = □, □ − 4 = □)

$$\begin{array}{r} 8\ 7 \\ -\ \ \ 9 \\ \hline \square \end{array} \rightarrow \begin{array}{r} \square \\ -\ \ \ 4 \\ \hline \square \end{array}$$

□ 안에 알맞은 수를 써넣으시오. (04~06)

04 40 − 15 − 17 = □

$$\begin{array}{r} 4\ 0 \\ -\ 1\ 5 \\ \hline \square \end{array} \rightarrow \begin{array}{r} \square \\ -\ 1\ 7 \\ \hline \square \end{array}$$

05 73 − 19 − 25 = □

$$\begin{array}{r} 7\ 3 \\ -\ 1\ 9 \\ \hline \square \end{array} \rightarrow \begin{array}{r} \square \\ -\ 2\ 5 \\ \hline \square \end{array}$$

06 53 − 28 − 18 = □

$$\begin{array}{r} 5\ 3 \\ -\ 2\ 8 \\ \hline \square \end{array} \rightarrow \begin{array}{r} \square \\ -\ 1\ 8 \\ \hline \square \end{array}$$

계산을 하시오. (07~16)

07 21−7−3=□

08 72−6−5=□

09 52−4−8=□

10 39−5−7=□

11 62−17−15=□

12 58−31−19=□

13 81−36−27=□

14 70−25−36=□

15 91−47−29=□

16 83−27−15=□

사고력 기르기

Step 1

각각의 주어진 식에서 ☆은 얼마인지 구하시오. (01~08)

01 70 − ☆ − ☆ = 46 ☆ = □

02 58 − ☆ − ☆ = 28 ☆ = □

03 92 − ☆ − ☆ = 44 ☆ = □

04 61 − ☆ − ☆ = 19 ☆ = □

05 55 − ☆ − ☆ = 27 ☆ = □

06 96 − ☆ − ☆ = 36 ☆ = □

07 88 − ☆ − ☆ = 24 ☆ = □

08 64 − ☆ − ☆ = 18 ☆ = □

보기 를 참고하여 주어진 식의 계산 결과를 가장 작게 만드는 뺄셈식을 만들어 보시오. (단, 가, 나, 다는 서로 다른 숫자입니다.) (09~10)

보기

뺄셈식 5 가 − 2 나 − 1 다 의 계산 결과 중 가장 작은 값은 3입니다.

→ 50 − 28 − 19 = 3 또는 50 − 29 − 18 = 3

09 8 가 − 3 나 − 2 다 → □ − □ − □ = □ 또는 □ − □ − □ = □

10 6 가 − 1 나 − 1 다 → □ − □ − □ = □ 또는 □ − □ − □ = □

보기 를 참고하여 주어진 식의 계산 결과를 가장 크게 만드는 뺄셈식을 만들어 보시오. (단, 가, 나, 다는 서로 다른 숫자입니다.) (11~12)

보기

뺄셈식 5 가 − 2 나 − 1 다 의 계산 결과 중 가장 큰 값은 28입니다.

→ 59 − 20 − 11 = 28 또는 59 − 21 − 10 = 28

11 8 가 − 2 나 − 3 다 → □ − □ − □ = □ 또는 □ − □ − □ = □

12 9 가 − 1 나 − 3 다 → □ − □ − □ = □ 또는 □ − □ − □ = □

네 수 중 가장 큰 수에서 나머지 수를 차례로 빼어 계산한 값을 ○ 안에 써넣으시오. (13~20)

13

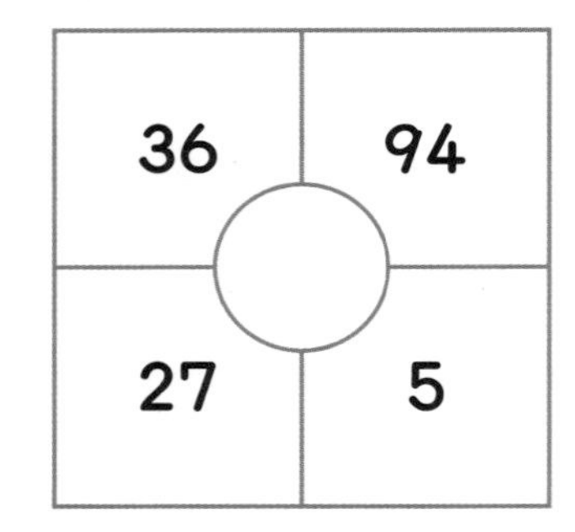

14

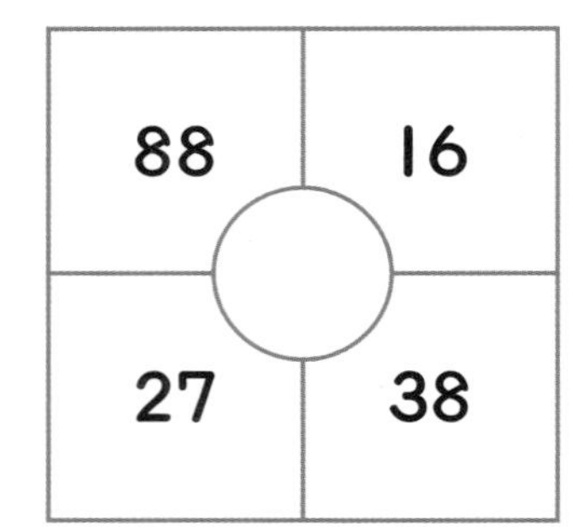

15

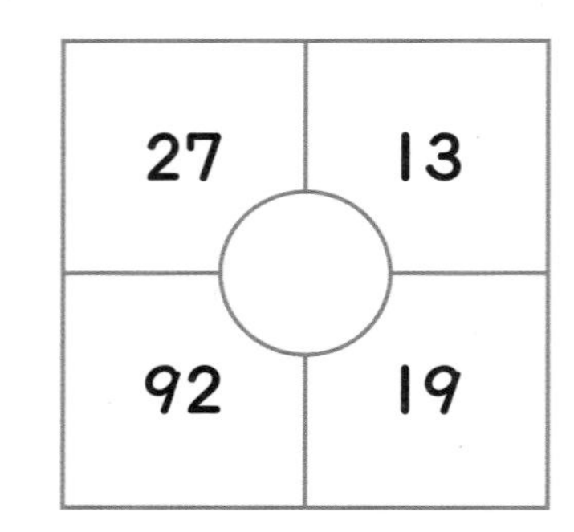

16

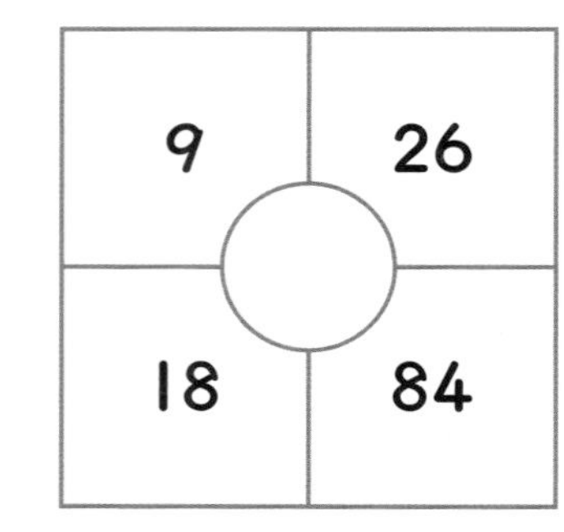

17

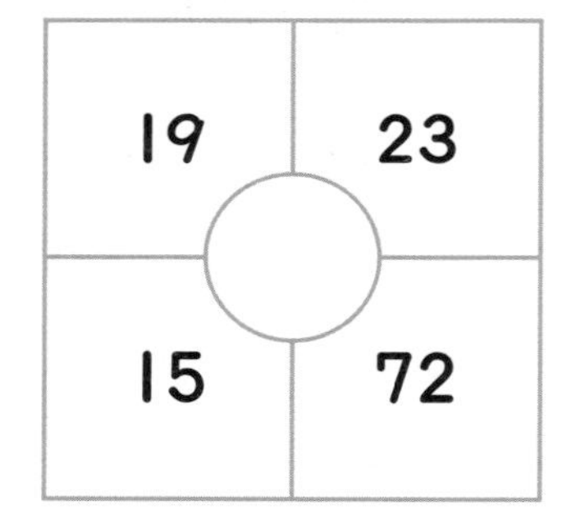

18

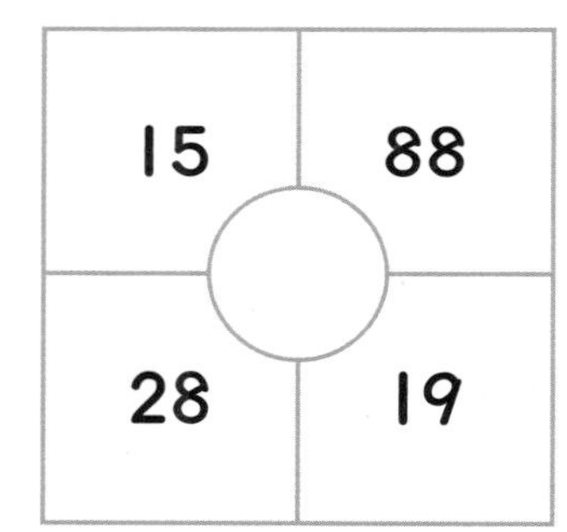

19

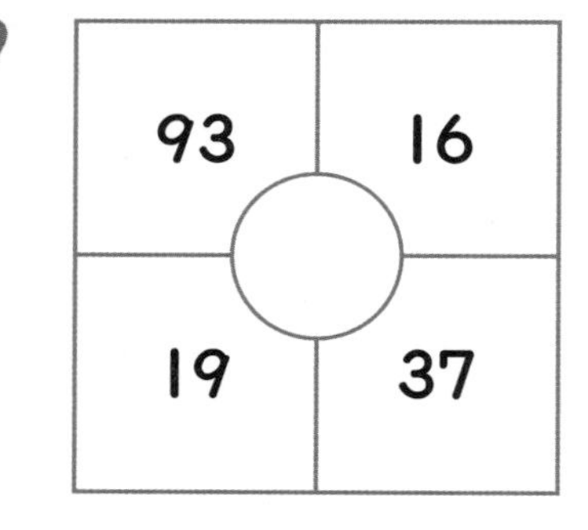

20

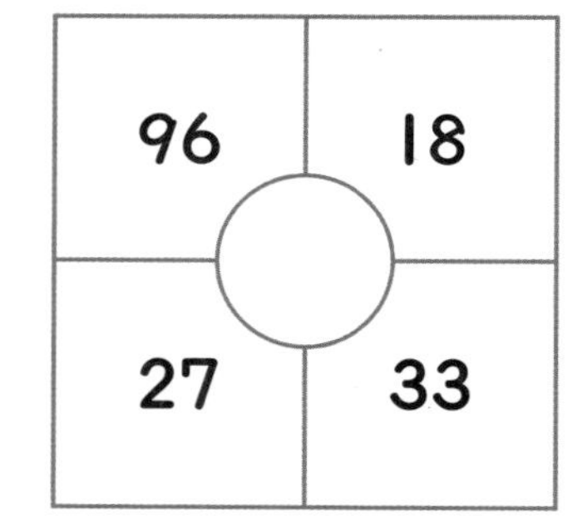

사고력 기르기

Step 2

세 수 중 가장 큰 수에서 나머지 수를 차례로 빼어 계산한 값을 □ 안에 써넣으시오. (01~06)

01

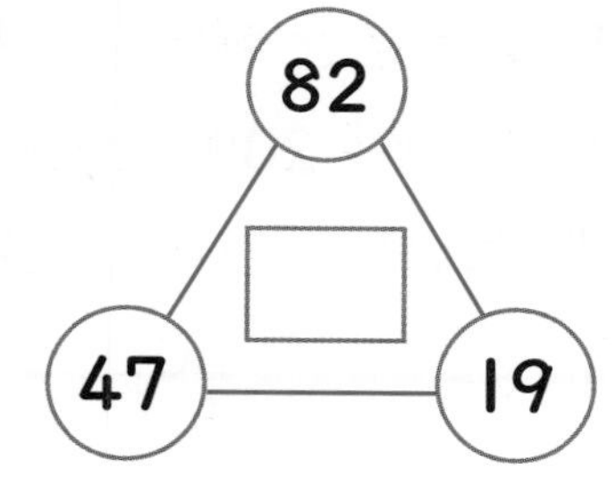

02

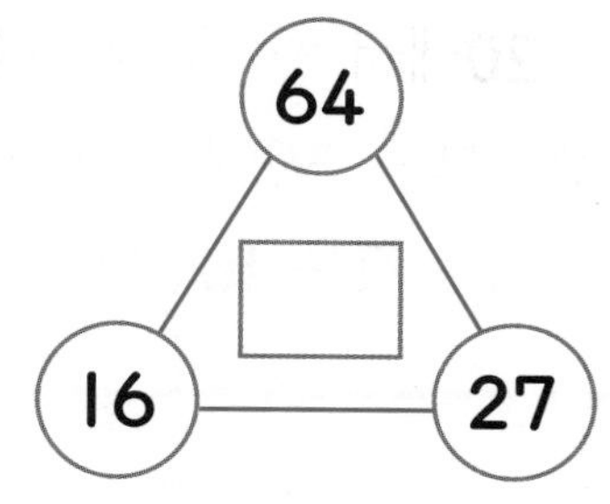

03

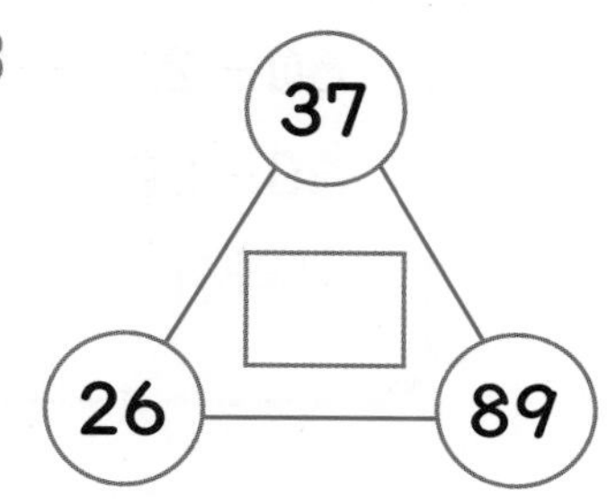

04

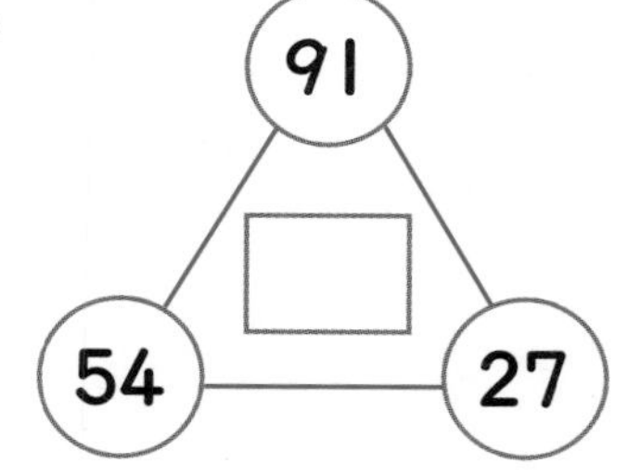

05

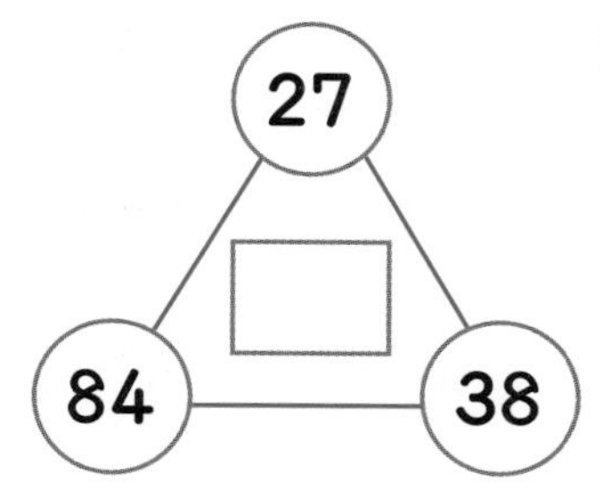

06

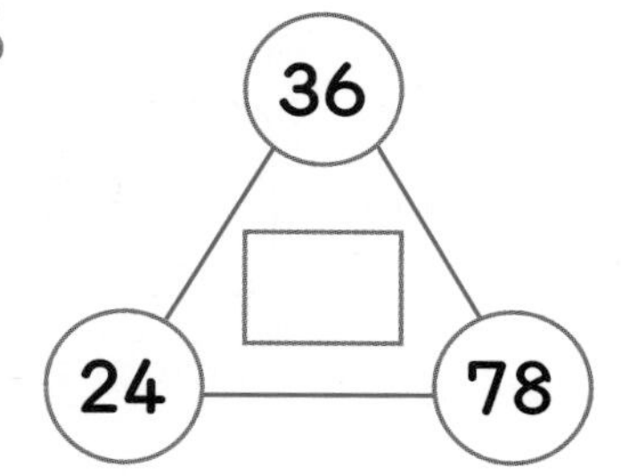

07 식이 완성되도록 관계있는 것끼리 선으로 이으시오.

89−5 •	• −25 •	• =39
92−15 •	• −23 •	• =22
76−29 •	• −38 •	• =61
83−27 •	• −37 •	• =19

보기 를 참고하여 ♥가 나타내는 숫자를 구하시오. (08~12)

> **보기**
>
> $60-2\heartsuit-1\heartsuit=20$에서 ♥를 제외하고 몇십 부분만 빼면
> $60-20-10=30$이므로 30에서 ♥를 2번 더 빼야 20이 됩니다.
> 따라서 ♥를 2번 빼는 것은 10을 빼는 것과 같으므로 ♥는 5입니다.

08 $70-2\heartsuit-2\heartsuit=22$ ♥ = □

09 $83-3\heartsuit-1\heartsuit=33$ ♥ = □

10 $55-2\heartsuit-1\heartsuit=21$ ♥ = □

11 $80-3\heartsuit-2\heartsuit=24$ ♥ = □

12 $94-2\heartsuit-4\heartsuit=32$ ♥ = □

Step 2

 한 원 안의 수들의 합이 주어진 수가 되도록 빈 곳에 알맞은 수를 써넣으시오. (13~18)

13

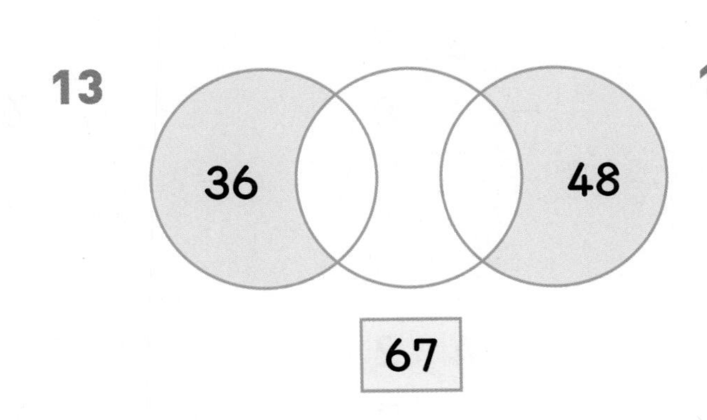

14

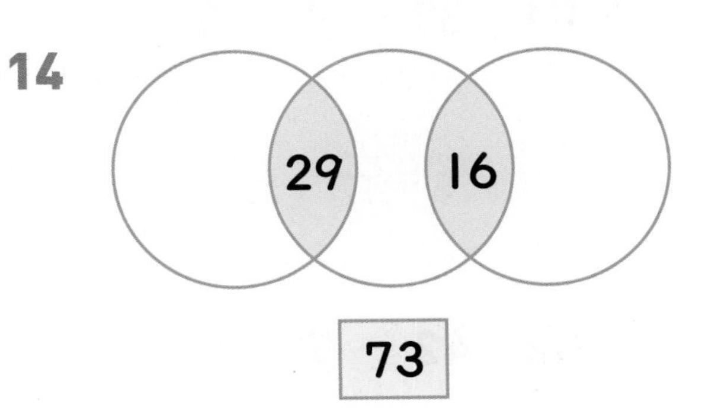

15

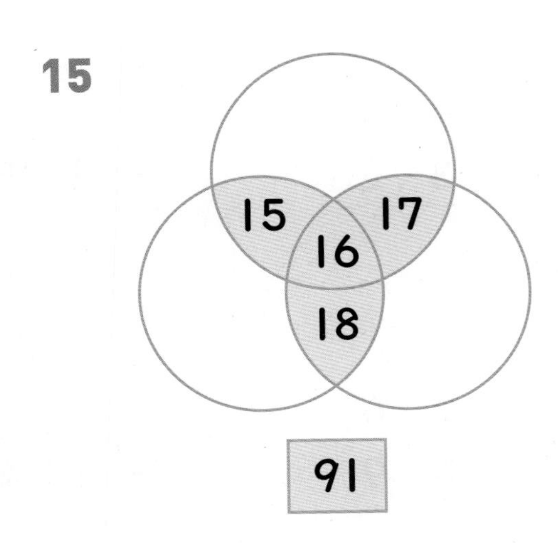

16

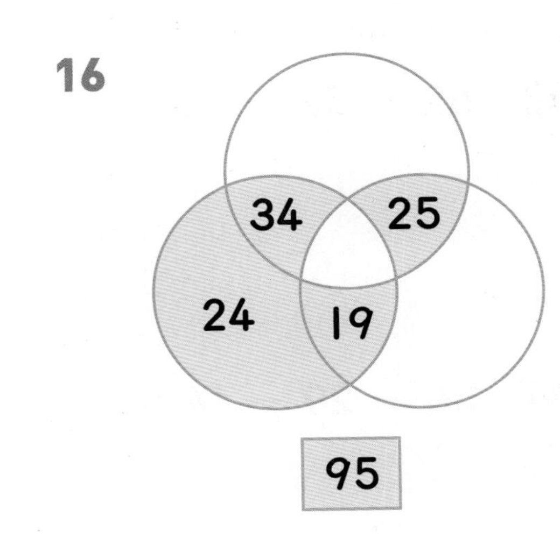

17

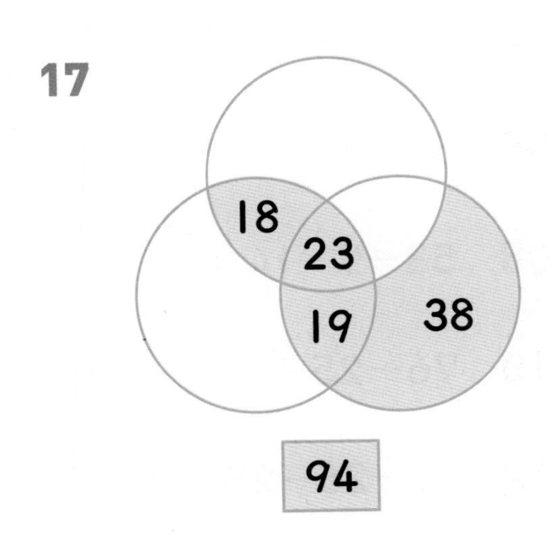

18

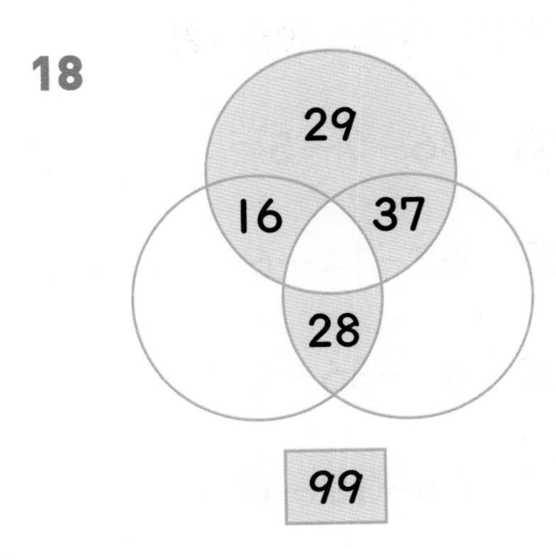

실력 점검

□ 안에 알맞은 수를 써넣으시오. (01~04)

01 $37 - 8 - 6 = \square$

$\begin{array}{r} 37 \\ -\ \ 8 \\ \hline \square \end{array}$ → $\begin{array}{r} \square \\ -\ \ 6 \\ \hline \square \end{array}$

02 $42 - 7 - 5 = \square$

$\begin{array}{r} 42 \\ -\ \ 7 \\ \hline \square \end{array}$ → $\begin{array}{r} \square \\ -\ \ 5 \\ \hline \square \end{array}$

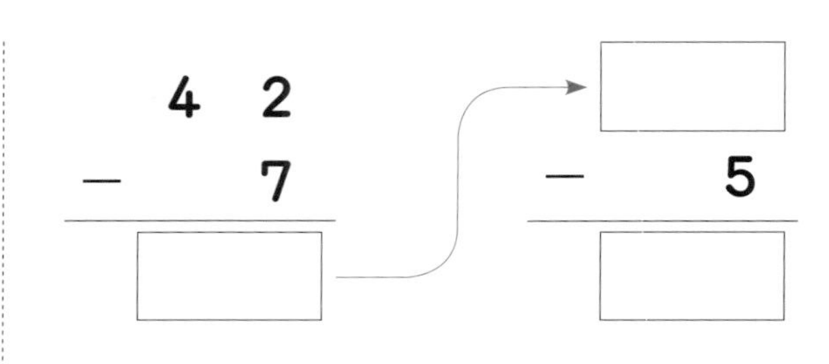

03 $62 - 32 - 15 = \square$

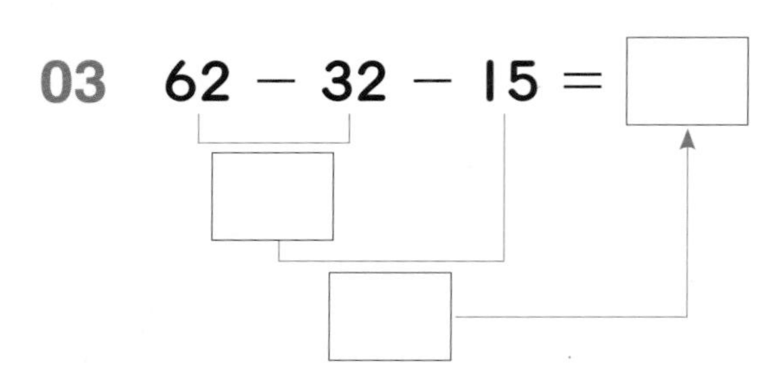

$\begin{array}{r} 62 \\ -\ 32 \\ \hline \square \end{array}$ → $\begin{array}{r} \square \\ -\ 15 \\ \hline \square \end{array}$

04 $56 - 29 - 14 = \square$

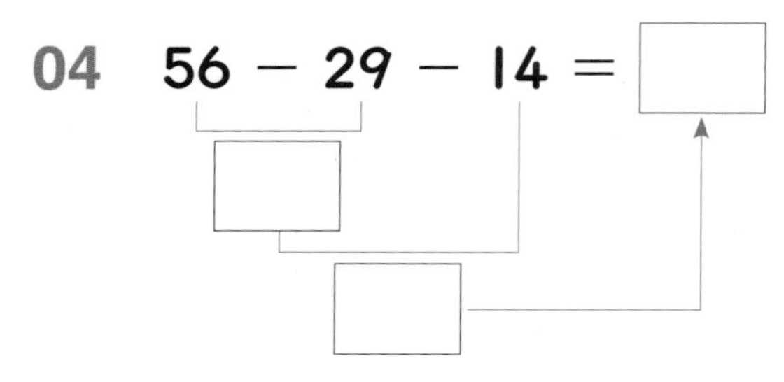

$\begin{array}{r} 56 \\ -\ 29 \\ \hline \square \end{array}$ → $\begin{array}{r} \square \\ -\ 14 \\ \hline \square \end{array}$

계산을 하시오. (05~12)

05 $36-7-5=\square$

06 $52-8-9=\square$

07 $62-14-6=\square$

08 $58-7-14=\square$

09 $81-36-21=\square$

10 $76-25-11=\square$

11 $66-19-15=\square$

12 $81-26-25=\square$

각각의 주어진 식에서 ☆은 얼마인지 구하시오. (13~14)

13 60－☆－☆＝36　　☆＝□

14 72－☆－☆＝24　　☆＝□

15 보기 를 참고하여 주어진 식의 계산 결과를 가장 크게 만드는 뺄셈식을 만들어 보시오. (단, 가, 나, 다는 서로 다른 숫자입니다.)

보기

뺄셈식 5가－2나－1다의 계산 결과 중 가장 큰 값은 28입니다.

→ 59－20－11＝28 또는 59－21－10＝28

9가－2나－3다 → □－□－□＝□ 또는

□－□－□＝□

한 원 안의 수들의 합이 주어진 수가 되도록 빈 곳에 알맞은 수를 써넣으시오. (16~17)

16

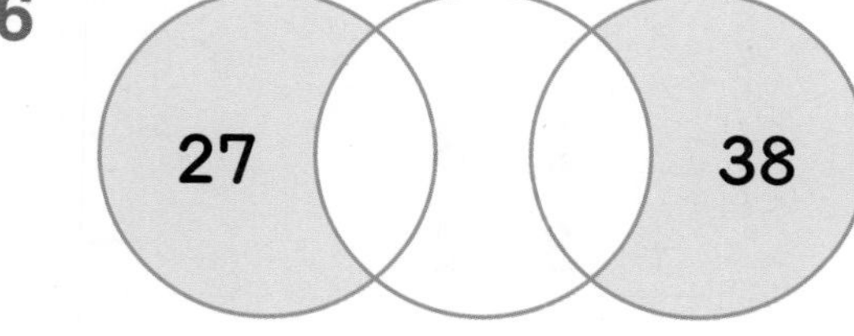

62

17

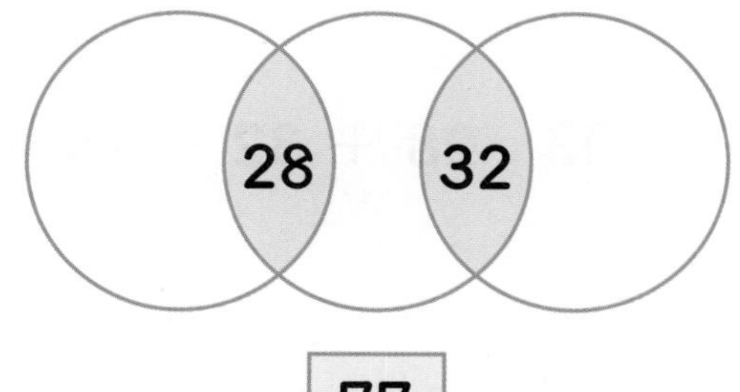

77

08 세 수의 혼합 계산

개념

1. 15+26−12의 계산

$15 + 26 - 12 = 29$

$15 + 26 = 41$, $41 - 12 = 29$

$$\begin{array}{r} 15 \\ +\ 26 \\ \hline 41 \end{array} \rightarrow \begin{array}{r} 41 \\ -\ 12 \\ \hline 29 \end{array}$$

2. 46−19+23의 계산

$46 - 19 + 23 = 50$

$46 - 19 = 27$, $27 + 23 = 50$

$$\begin{array}{r} 46 \\ -\ 19 \\ \hline 27 \end{array} \rightarrow \begin{array}{r} 27 \\ +\ 23 \\ \hline 50 \end{array}$$

□ 안에 알맞은 수를 써넣으시오. (01~03)

01 $24 + 18 - 9 = \square$

$24 + 18 = \square$, $\square - 9 = \square$

$$\begin{array}{r} 2\ 4 \\ +\ 1\ 8 \\ \hline \square \end{array} \rightarrow \begin{array}{r} \square \\ -\ \ \ 9 \\ \hline \square \end{array}$$

02 $48 + 9 - 16 = \square$

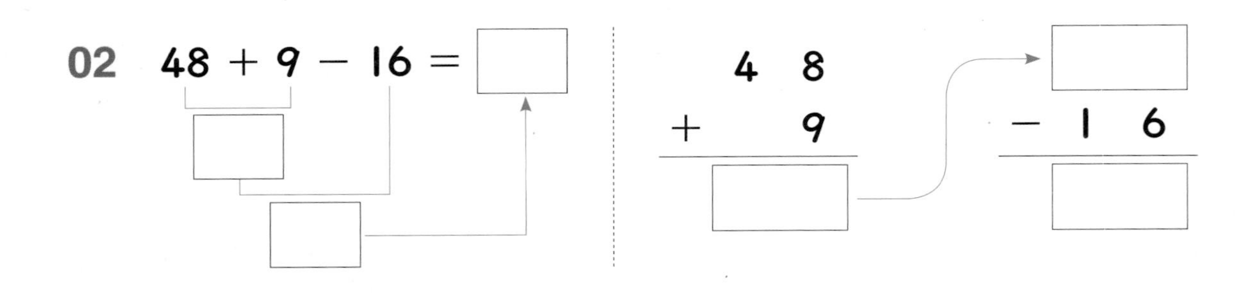

$48 + 9 = \square$, $\square - 16 = \square$

$$\begin{array}{r} 4\ 8 \\ +\ \ \ 9 \\ \hline \square \end{array} \rightarrow \begin{array}{r} \square \\ -\ 1\ 6 \\ \hline \square \end{array}$$

03 $28 + 32 - 15 = \square$

$28 + 32 = \square$, $\square - 15 = \square$

$$\begin{array}{r} 2\ 8 \\ +\ 3\ 2 \\ \hline \square \end{array} \rightarrow \begin{array}{r} \square \\ -\ 1\ 5 \\ \hline \square \end{array}$$

□ 안에 알맞은 수를 써넣으시오. (04~06)

04 $38 - 19 + 4 = \square$

$$\begin{array}{r} 3\ 8 \\ -\ 1\ 9 \\ \hline \square \end{array} \rightarrow \begin{array}{r} \square \\ +\ \ \ 4 \\ \hline \square \end{array}$$

05 $62 - 35 + 8 = \square$

$$\begin{array}{r} 6\ 2 \\ -\ 3\ 5 \\ \hline \square \end{array} \rightarrow \begin{array}{r} \square \\ +\ \ \ 8 \\ \hline \square \end{array}$$

06 $75 - 29 + 36 = \square$

$$\begin{array}{r} 7\ 5 \\ -\ 2\ 9 \\ \hline \square \end{array} \rightarrow \begin{array}{r} \square \\ +\ 3\ 6 \\ \hline \square \end{array}$$

계산을 하시오. (07~16)

07 $28+15-6=\square$

08 $54-27+9=\square$

09 $64+28-9=\square$

10 $36-18+7=\square$

11 $26+37-19=\square$

12 $29-14+32=\square$

13 $34+28-17=\square$

14 $65-38+26=\square$

15 $62+18-33=\square$

16 $93-44+21=\square$

사고력 기르기

Step 1

식이 성립하도록 ○ 안에 +, −를 알맞게 써넣으시오. (01~06)

01 38 ○ 56 ○ 67 = 27

02 65 ○ 18 ○ 30 = 53

03 53 ○ 24 ○ 33 = 62

04 42 ○ 35 ○ 28 = 35

05 48 ○ 22 ○ 55 = 15

06 74 ○ 49 ○ 16 = 41

보기 를 참고하여 가를 구하는 혼합 계산식을 세우시오. (07~08)

보기

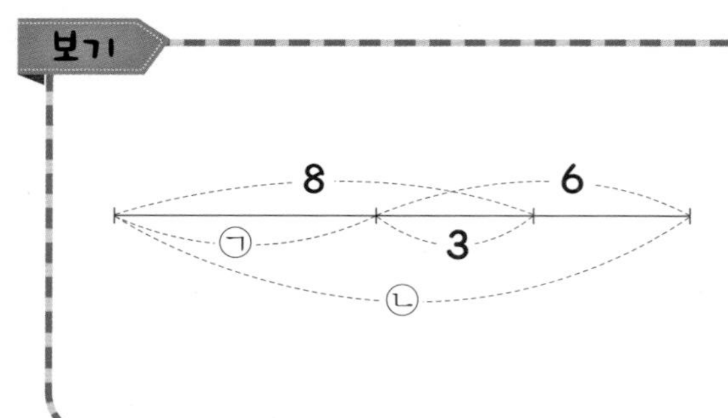

왼쪽 수직선에서 ㉠=8−3=5이므로
㉡=5+6=11입니다.
혼합 계산식을 세워 ㉡을 구하면
㉡=8−3+6=11입니다.

07

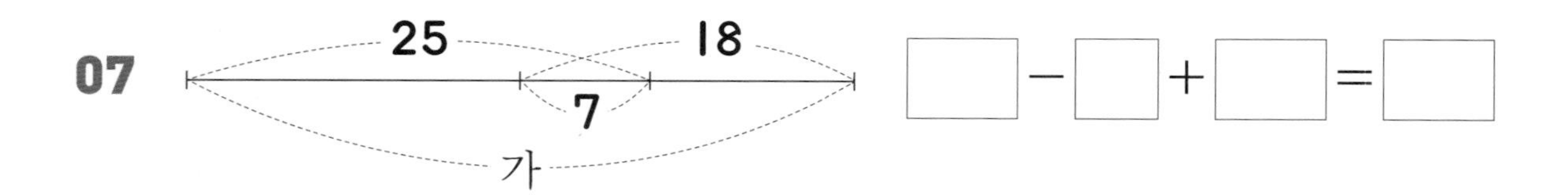

□ − □ + □ = □

08

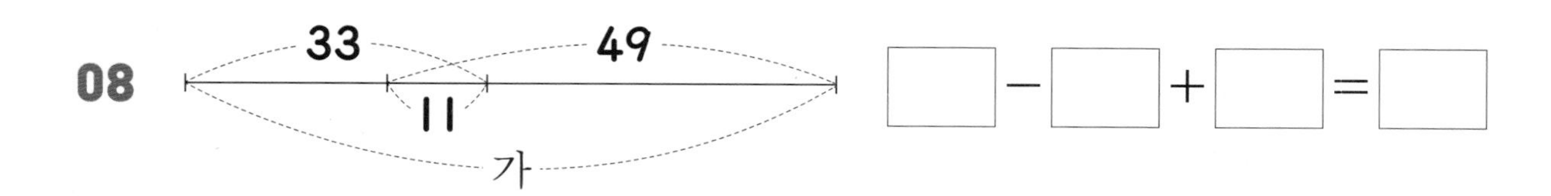

□ − □ + □ = □

□ 안에 들어갈 수 있는 수를 모두 구하시오. (단, □ 안에는 0을 넣지 않기로 합니다.) (09~16)

09 $56-8+\square<53$ (　　　　　　　　)

10 $73-15+\square<64$ (　　　　　　　　)

11 $27+33-\square>55$ (　　　　　　　　)

12 $48+28-\square>69$ (　　　　　　　　)

13 $34+\square-12<27$ (　　　　　　　　)

14 $47+\square-15<36$ (　　　　　　　　)

15 $18-\square+32>44$ (　　　　　　　　)

16 $62-\square+29>87$ (　　　　　　　　)

같은 모양은 같은 수를 나타냅니다. ♡는 얼마인지 구하시오. (17~22)

17

○ + ○ = 20　　△ + ○ = 55

△ − □ = 33　　△ + □ − ○ = ♡

♡ = ☐

18

○ + ○ = 24　　△ + ○ = 30

△ − □ = 9　　△ + □ − ○ = ♡

♡ = ☐

19

○ + ○ = 66　　△ − ○ = 37

△ + □ = 84　　△ − □ + ○ = ♡

♡ = ☐

20

○ + ○ = 46　　△ − ○ = 19

△ + □ = 60　　△ − □ + ○ = ♡

♡ = ☐

21

○ + ○ + ○ = 60　　△ − ○ = 18

△ + □ = 64　　△ − □ + ○ = ♡

♡ = ☐

22

○ + ○ + ○ = 90　　△ + ○ = 67

△ − □ = 18　　△ + □ − ○ = ♡

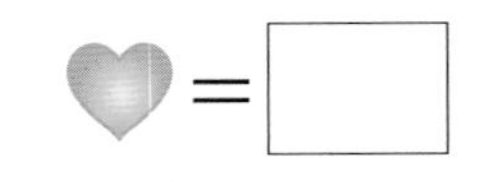

사고력 기르기

Step 2

다음과 같이 약속 할 때, 약속에 맞게 □ 안에 알맞은 수를 써넣으시오. (01~08)

약속

$$39 ☆ 24 = (39+24)-(39-24) = 63-15 = 48$$

01 $48 ☆ 16 = (\square + \square) - (\square - \square) = \square - \square = \square$

02 $52 ☆ 28 = (\square + \square) - (\square - \square) = \square - \square = \square$

03 $63 ☆ 37 = \square$

04 $61 ☆ 26 = \square$

05 $74 ☆ 49 = \square$

06 $82 ☆ 48 = \square$

07 $92 ☆ 23 = \square$

08 $74 ☆ 19 = \square$

가로, 세로, 대각선에 놓인 세 수의 합이 같다고 할 때, 보기 와 같은 방법을 사용하여 ☆에 알맞은 수를 구하시오. (09~14)

보기

		☆
		26
73	19	㉮

가로줄과 세로줄에 공통으로 들어갈 수를 ㉮라고 하면
73+19+㉮=☆+26+㉮이므로
73+19=☆+26에서 ☆=73+19−26이므로
☆=92−26에서 ☆=66입니다.

09

	24	
52		36
	☆	

10

37		54
	☆	
	29	

11

	42	37
☆		38

12

☆		43
28		44

13

47		☆
	34	
	58	

14

		26
	☆	
	49	48

Step 2

 사다리를 타면서 계산하여 빈 칸에 알맞은 수를 써넣으시오. (15~20)

15

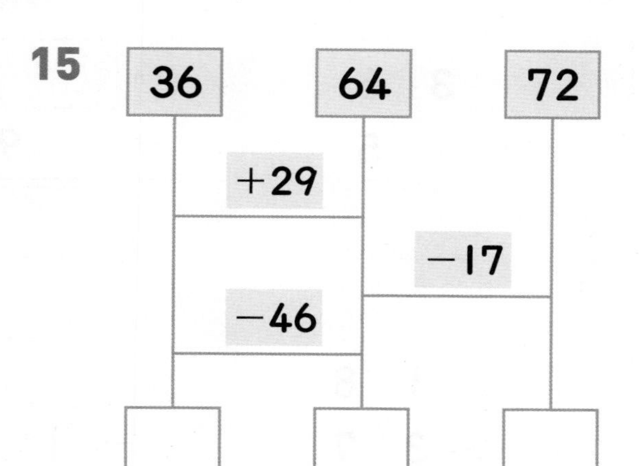

16

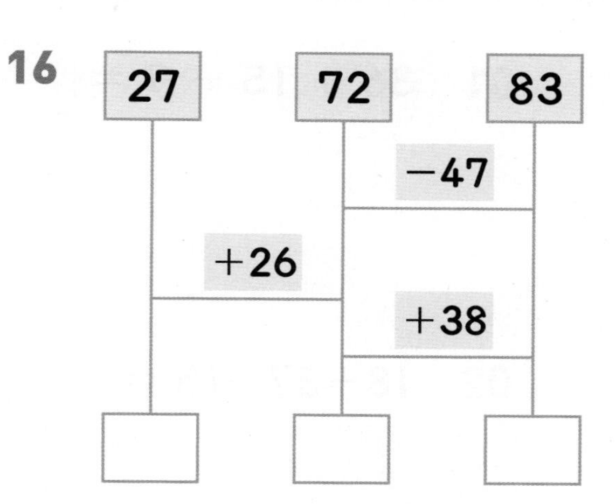

17

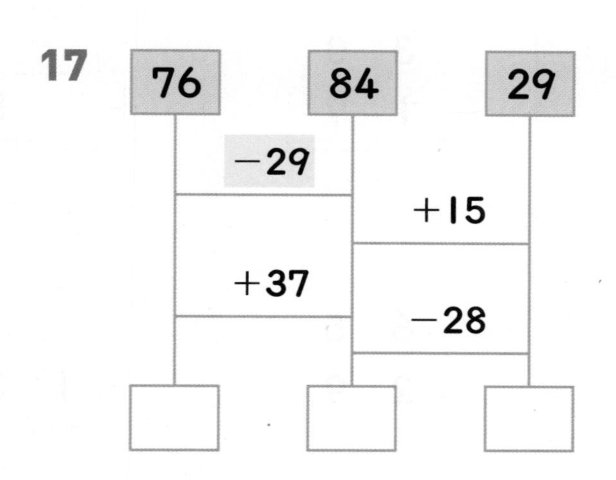

18

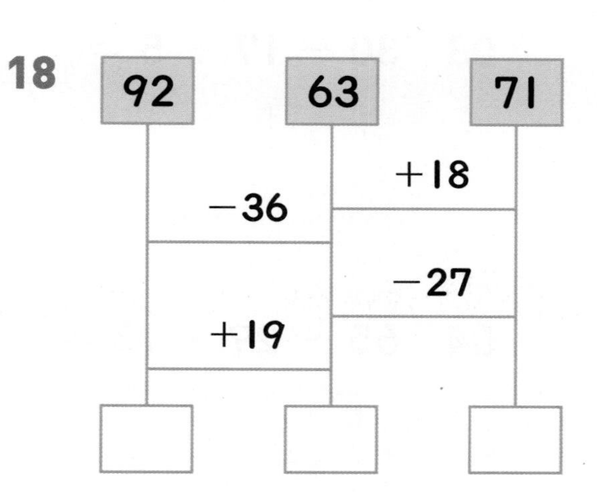

19

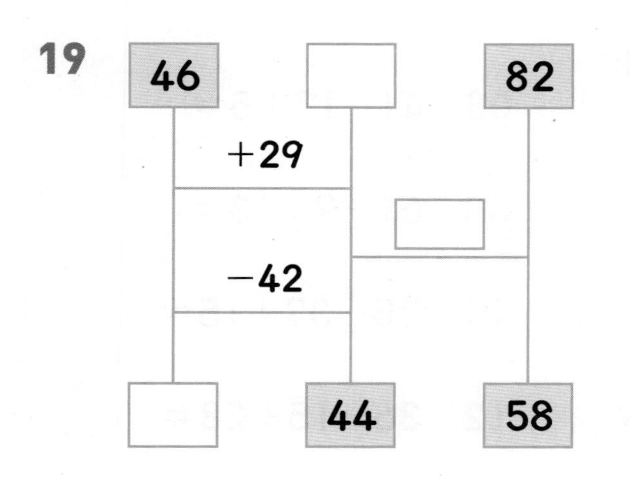

20

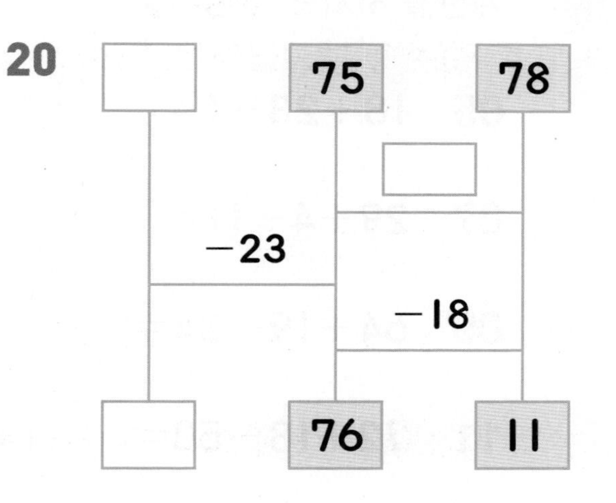

실력 점검

☐ 안에 알맞은 수를 써넣으시오. (01~04)

01 $36 + 15 - 9 = \square$

$$\begin{array}{r} 3\ 6 \\ +\ 1\ 5 \\ \hline \square \end{array} \rightarrow \begin{array}{r} \square \\ -\ \ \ 9 \\ \hline \square \end{array}$$

02 $18 + 37 - 15 = \square$

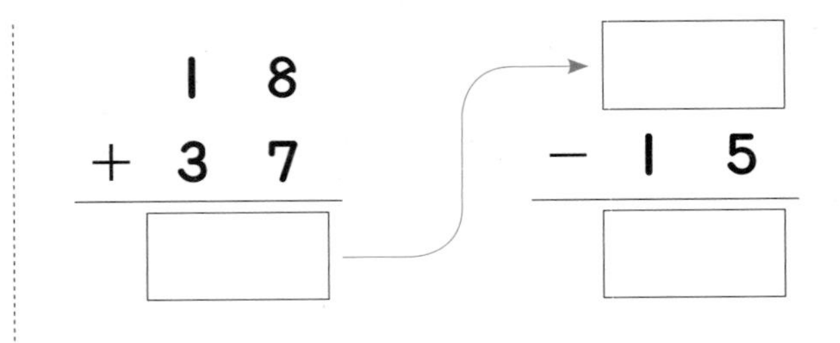

$$\begin{array}{r} 1\ 8 \\ +\ 3\ 7 \\ \hline \square \end{array} \rightarrow \begin{array}{r} \square \\ -\ 1\ 5 \\ \hline \square \end{array}$$

03 $30 - 17 + 5 = \square$

$$\begin{array}{r} 3\ 0 \\ -\ 1\ 7 \\ \hline \square \end{array} \rightarrow \begin{array}{r} \square \\ +\ \ \ 5 \\ \hline \square \end{array}$$

04 $65 - 29 + 13 = \square$

$$\begin{array}{r} 6\ 5 \\ -\ 2\ 9 \\ \hline \square \end{array} \rightarrow \begin{array}{r} \square \\ +\ 1\ 3 \\ \hline \square \end{array}$$

계산을 하시오. (05~12)

05 $18 + 23 - 4 = \square$

06 $41 - 17 + 5 = \square$

07 $29 + 4 - 11 = \square$

08 $61 - 9 + 13 = \square$

09 $64 + 19 - 34 = \square$

10 $85 - 37 + 15 = \square$

11 $72 + 18 - 50 = \square$

12 $36 - 15 + 28 = \square$

식이 성립하도록 ○ 안에 +, −를 알맞게 써넣으시오. (13~14)

13 49 ○ 37 ○ 54 = 32

14 65 ○ 18 ○ 30 = 77

15 같은 모양은 같은 수를 나타냅니다. ♥는 얼마인지 구하시오.

●+●=64 ▲+●=80
▲−■=33 ▲+■−●=♥

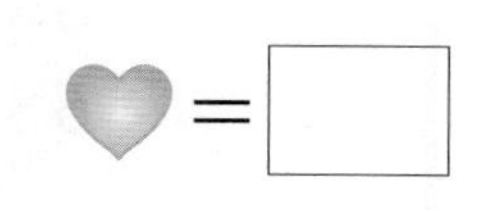

가로, 세로, 대각선에 놓인 세 수의 합이 같다고 할 때, 보기 와 같은 방법을 사용하여 ☆에 알맞은 수를 구하시오. (16~17)

보기

		☆
		26
73	19	㉮

가로줄과 세로줄에 공통으로 들어갈 수를 ㉮라고 하면
73+19+㉮=☆+26+㉮이므로
73+19=☆+26에서 ☆=73+19−26이므로
☆=92−26에서 ☆=66입니다.

16

	24	
45		38
	☆	

17

27		66
	☆	
	39	

09 곱셈구구

개념

1. 2의 단 곱셈구구

$2\times1=2$, $2\times2=4$, $2\times3=6$,
$2\times4=8$, $2\times5=10$, $2\times6=12$,
$2\times7=14$, $2\times8=16$, $2\times9=18$

2. 3의 단 곱셈구구

$3\times1=3$, $3\times2=6$, $3\times3=9$,
$3\times4=12$, $3\times5=15$, $3\times6=18$,
$3\times7=21$, $3\times8=24$, $3\times9=27$

3. 4의 단 곱셈구구

$4\times1=4$, $4\times2=8$, $4\times3=12$,
$4\times4=16$, $4\times5=20$, $4\times6=24$,
$4\times7=28$, $4\times8=32$, $4\times9=36$

4. 5의 단 곱셈구구

$5\times1=5$, $5\times2=10$, $5\times3=15$,
$5\times4=20$, $5\times5=25$, $5\times6=30$,
$5\times7=35$, $5\times8=40$, $5\times9=45$

5. 6의 단 곱셈구구

$6\times1=6$, $6\times2=12$, $6\times3=18$,
$6\times4=24$, $6\times5=30$, $6\times6=36$,
$6\times7=42$, $6\times8=48$, $6\times9=54$

6. 7의 단 곱셈구구

$7\times1=7$, $7\times2=14$, $7\times3=21$,
$7\times4=28$, $7\times5=35$, $7\times6=42$,
$7\times7=49$, $7\times8=56$, $7\times9=63$

7. 8의 단 곱셈구구

$8\times1=8$, $8\times2=16$, $8\times3=24$,
$8\times4=32$, $8\times5=40$, $8\times6=48$,
$8\times7=56$, $8\times8=64$, $8\times9=72$

8. 9의 단 곱셈구구

$9\times1=9$, $9\times2=18$, $9\times3=27$,
$9\times4=36$, $9\times5=45$, $9\times6=54$,
$9\times7=63$, $9\times8=72$, $9\times9=81$

01 4×7을 계산하는 방법을 설명한 것입니다. □ 안에 알맞은 수를 써넣으시오.

(1) **4**씩 □번 더하는 방법으로 계산합니다.

$4\times7=\square+\square+\square+\square+\square+\square+\square$
$=\square$

(2) 4×6의 곱에 □를 더하는 방법으로 계산합니다.

$4\times6=24$
$4\times7=\square$ (+□)

계산을 하시오. (02~17)

02 $2\times6=$ ☐

03 $2\times9=$ ☐

04 $3\times7=$ ☐

05 $3\times6=$ ☐

06 $4\times4=$ ☐

07 $4\times8=$ ☐

08 $5\times6=$ ☐

09 $5\times8=$ ☐

10 $6\times7=$ ☐

11 $6\times9=$ ☐

12 $7\times3=$ ☐

13 $7\times6=$ ☐

14 $8\times6=$ ☐

15 $8\times8=$ ☐

16 $9\times4=$ ☐

17 $9\times6=$ ☐

빈 곳에 알맞은 수를 써넣으시오. (18~19)

18

6 ×
3 → ☐ +☐
4 → ☐ +☐
5 → ☐ +☐
6 → ☐

19

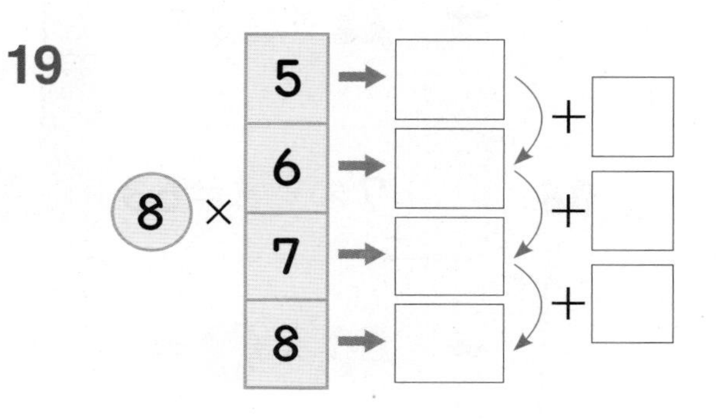

사고력 기르기

Step 1

□ 안에 알맞은 수를 써넣으시오. (01~06)

01

▲×3=12　　6×■=30

→ ▲×■=□

02

■×5=35　　4×♥=32

→ ■×♥=□

03

●×3=18　　3×▲=21

→ ●×▲=□

04

8×■=40　　●×7=35

→ ■×●=□

05

9×▲=54　　■×4=36

→ ▲×■=□

06

7×♥=63　　●×6=48

→ ♥×●=□

주어진 숫자 카드 중 2장을 뽑아 곱합니다. 두 수의 곱이 가장 크게 될 때의 곱셈식을 만들어 보시오. (07~12)

07 5 2 4 3

→ □ × □ = □ 또는 □ × □ = □

08 6 4 2 9

→ □ × □ = □ 또는 □ × □ = □

09 1 8 3 6

→ □ × □ = □ 또는 □ × □ = □

10 2 5 4 3 8

→ □ × □ = □ 또는 □ × □ = □

11 3 1 2 9 8

→ □ × □ = □ 또는 □ × □ = □

12 5 0 7 3 6

→ □ × □ = □ 또는 □ × □ = □

보기 에서 규칙을 찾아 빈 곳에 알맞은 수를 써넣으시오. (13~18)

보기

1	3	3
	18	
2	6	3

3	9	3
	72	
4	8	2

13

2		2
	20	
		1

14

6		1
3	6	

15

		2
	28	
7		1

16

2		
	40	
1	5	

17

	8	4
3		3

18

4		
	64	
2		4

사고력 기르기

Step 2

0부터 9까지의 숫자를 10개의 빈칸에 한 번씩 모두 써넣어 5개의 곱셈식이 성립하도록 하시오. (단, 작은 숫자를 왼쪽 칸에 쓰시오.) (01~06)

01 $\square\times\square=0$ $\square\times\square=6$ $\square\times\square=20$

$\square\times\square=42$ $\square\times\square=72$

02 $\square\times\square=0$ $\square\times\square=8$ $\square\times\square=10$

$\square\times\square=24$ $\square\times\square=63$

03 $\square\times\square=0$ $\square\times\square=5$ $\square\times\square=12$

$\square\times\square=24$ $\square\times\square=28$

04 $\square\times\square=0$ $\square\times\square=9$ $\square\times\square=12$

$\square\times\square=21$ $\square\times\square=32$

05 $\square\times\square=0$ $\square\times\square=6$ $\square\times\square=8$

$\square\times\square=21$ $\square\times\square=45$

06 $\square\times\square=0$ $\square\times\square=8$ $\square\times\square=12$

$\square\times\square=18$ $\square\times\square=35$

빈칸에 알맞은 수를 써넣어 곱셈표를 완성하시오. (단, 색칠한 부분에는 한 자리 수를 넣습니다.) (07~12)

07

×			
4	8		
3		12	
5			30

08

×	2	7	5
			15
		42	
	18		

09

×		3	4
		12	
6	36		
5		15	

10

×	3		
	6		
7			63
		64	

11

×		5	
	10		
		30	
4			12

12

×			7
			14
		42	
4	36		

보기 와 같이 주어진 수와 +, −, ×, ( ), = 등의 기호를 사용하여 ○ 안의 수를 만드시오. (13~18)

보기

3, 4, 5, 6 → 81   (3+6)×(4+5)=81

13 2, 5, 3, 7 → 72 ____________

14 1, 3, 5, 7 → 64 ____________

15 3, 5, 7, 9 → 12 ____________

16 4, 5, 8, 9 → 16 ____________

17 3, 6, 7, 5 → 18 ____________

18 2, 3, 5, 9 → 56 ____________

실력 점검

01 9×4를 계산하는 방법을 설명한 것입니다. □ 안에 알맞은 수를 써넣으시오.

(1) 9씩 □번 더하는 방법으로 계산합니다.

$9\times4=\square+\square+\square+\square=\square$

(2) 9×3의 곱에 □를 더하는 방법으로 계산합니다.

$9\times3=27$
$9\times4=\square$ (+□)

계산을 하시오. (02~13)

02 $2\times5=\square$

03 $3\times5=\square$

04 $4\times7=\square$

05 $4\times2=\square$

06 $5\times5=\square$

07 $5\times9=\square$

08 $6\times3=\square$

09 $6\times8=\square$

10 $7\times6=\square$

11 $8\times4=\square$

12 $9\times7=\square$

13 $9\times9=\square$

빈 곳에 알맞은 수를 써넣으시오. (14~15)

14

5 × 5 → □ (+□)
5 × 6 → □ (+□)
5 × 7 → □

15

7 × 6 → □ (+□)
7 × 7 → □ (+□)
7 × 8 → □

보기 에서 규칙을 찾아 빈 곳에 알맞은 수를 써넣으시오. (16~17)

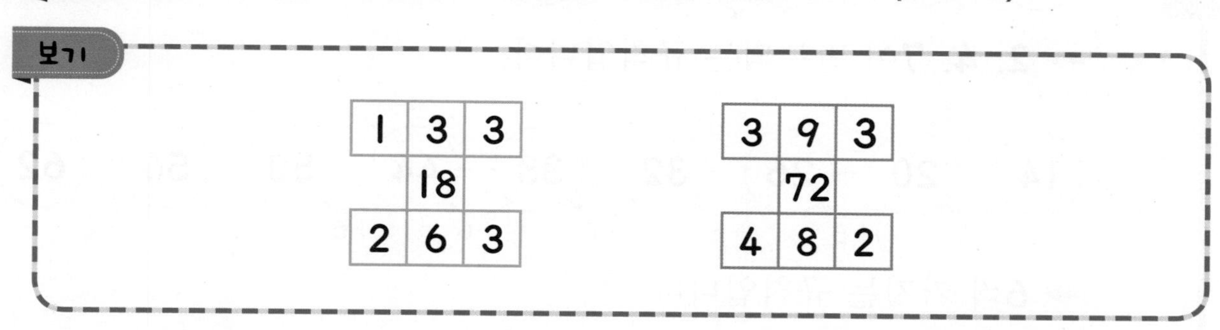

16

2		3
	24	
		1

17

7		1
4	8	

18 0부터 9까지의 숫자를 10개의 빈칸에 한 번씩 모두 써넣어 5개의 곱셈식이 성립하도록 하시오. (단, 작은 수를 왼쪽 칸에 쓰시오.)

$\square \times \square = 0$ $\square \times \square = 3$ $\square \times \square = 16$

$\square \times \square = 28$ $\square \times \square = 54$

19 보기 와 같이 주어진 수와 +, −, ×, ( ), = 등의 기호를 사용하여 ○ 안의 수를 만드시오.

1, 3, 4, 6 → 45

____

10 수의 규칙 찾기

개념

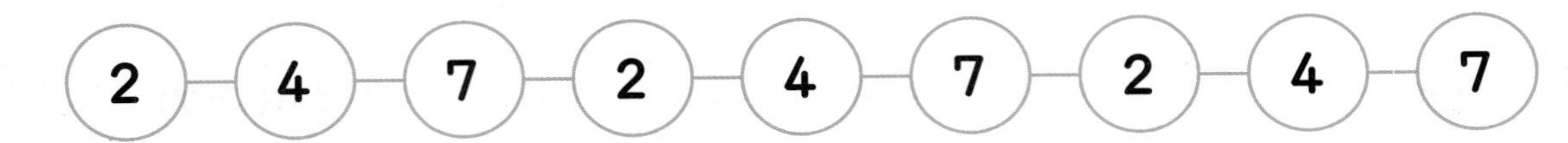

➡ 2, 4, 7이 반복되는 규칙입니다.

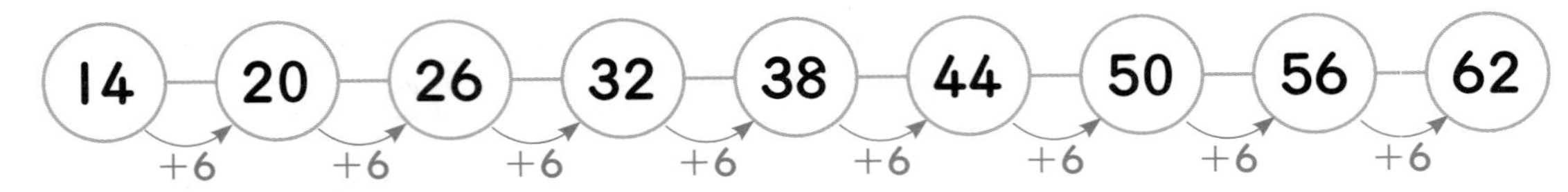

➡ 6씩 커지는 규칙입니다.

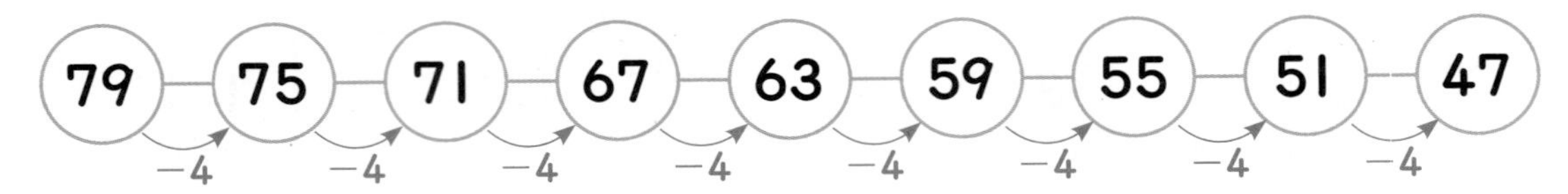

➡ 4씩 작아지는 규칙입니다.

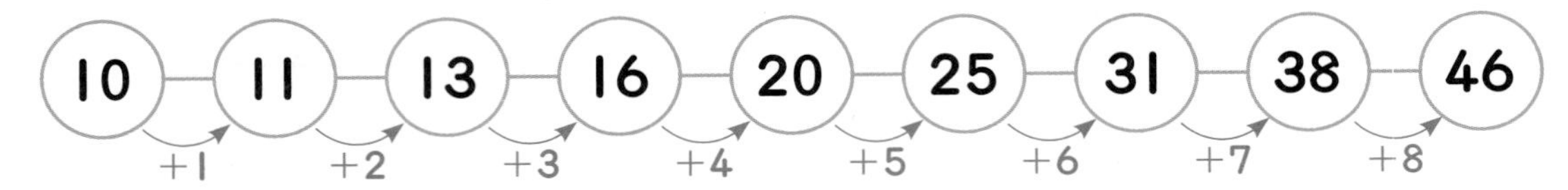

➡ 수가 1, 2, 3, ……씩 커지는 규칙입니다.

규칙을 찾아 빈 곳에 알맞은 수를 써넣으시오. (01~04)

01 4 — 9 — 4 — 9 — ( ) — ( ) — ( ) — ( ) — ( )

02 16 — 27 — 16 — 27 — ( ) — ( ) — ( ) — ( ) — ( )

03 1 — 3 — 5 — 1 — 3 — 5 — ( ) — ( ) — ( )

04 12 — 21 — 19 — 12 — 21 — 19 — ( ) — ( ) — ( )

규칙을 찾아 빈 곳에 알맞은 수를 써넣으시오. (05~10)

05 32 — 35 — 38 — 41 — ☐ — ☐ — ☐ — ☐ — ☐

06 20 — 27 — ☐ — 41 — 48 — ☐ — ☐ — ☐ — ☐

07 21 — ☐ — 31 — 36 — 41 — ☐ — 51 — ☐ — ☐

08 70 — 68 — 66 — 64 — ☐ — ☐ — ☐ — ☐ — ☐

09 88 — 84 — 80 — ☐ — ☐ — 68 — ☐ — ☐ — ☐

10 99 — ☐ — 77 — 66 — ☐ — 44 — ☐ — 22 — ☐

규칙을 찾아 빈 곳에 알맞은 수를 써넣으시오. (11~12)

11 12 — 13 — 15 — 18 — 22 — ◯ — ◯

+1 +2 +3 +☐ +☐ +☐

12 7 — 9 — 13 — 19 — 27 — ◯ — ◯

+2 +4 +6 +☐ +☐ +☐

사고력 기르기

다음은 수 배열표의 일부분입니다. 물음에 답하시오. (01~04)

1	2	3	4	5	6	7
		16				
	㉠					
	㉡			㉢		

01 ㉠에 알맞은 수는 얼마입니까?

02 ㉡에 알맞은 수는 얼마입니까?

03 ㉢에 알맞은 수는 얼마입니까?

04 위의 수 배열표의 빈 곳을 모두 채우시오.

규칙적으로 수를 늘어놓았습니다. 보기 를 참고하여 열 번째에 올 수는 얼마인지 구하시오. (05~08)

보기

1 , 3 , 5 , 7 , 9 , ……

(2 2 2 2)

1부터 2씩 4번 뛰어서 세면 다섯 번째에 올 수는 9가 되고 이것은 다음과 같은 방법으로 구할 수 있습니다.

$$1+2+2+2+2=1+(2\times4)=1+8=9$$

05 2, 4, 6, 8, 10, ……

06 1, 4, 7, 10, 13, ……

07 3, 7, 11, 15, 19, ……

08 5, 11, 17, 23, 29, ……

보기 와 같은 방법을 이용하여 덧셈을 해 보시오. (09~13)

보기

딸기가 접시에 1개, 3개, 5개 있습니다.

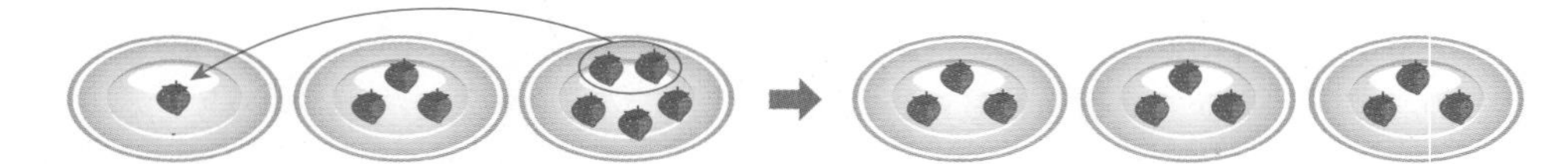

딸기 5개가 담겨 있는 접시에서 2개를 다른 접시로 옮기면 세 접시 모두 딸기가 3개씩 담기고 딸기는 $3\times3=9$(개)임을 알 수 있습니다. 따라서 $1+3+5=3+3+3=3\times3=9$입니다.

09 $3+5+7=\square+\square+\square=\square\times\square=\square$

10 $5+8+11=\square+\square+\square=\square\times\square=\square$

11 $1+4+7=\square+\square+\square=\square\times\square=\square$

12 $2+6+10=\square+\square+\square=\square\times\square=\square$

13 $3+7+11=\square+\square+\square=\square\times\square=\square$

사고력 기르기

Step 2

보기 는 곱셈과 덧셈을 활용하여 수를 써넣은 것입니다. 규칙을 찾아 ○ 안에 알맞은 수를 써넣으시오. (01~07)

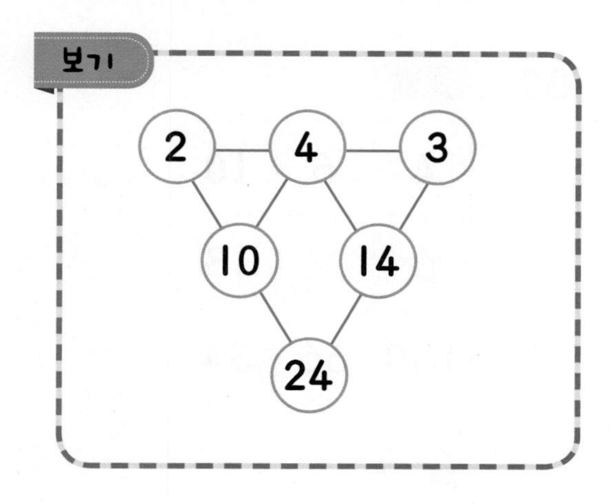

01

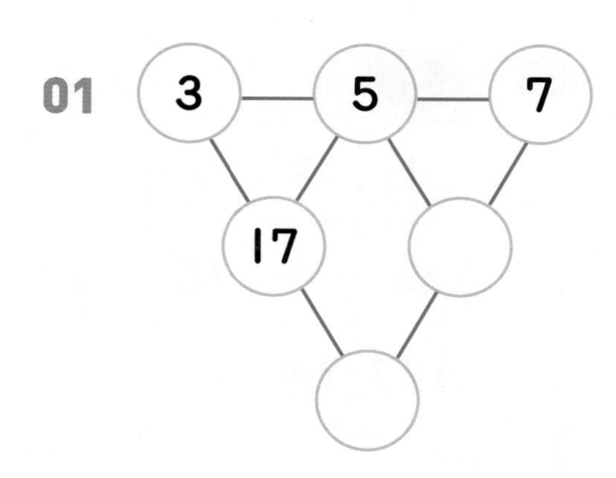

02

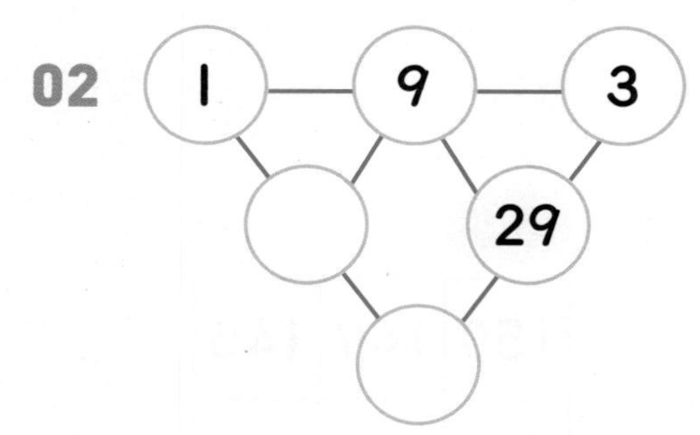

03

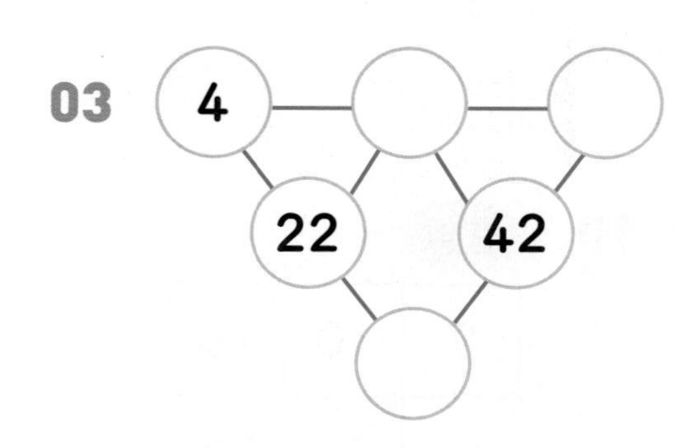

04

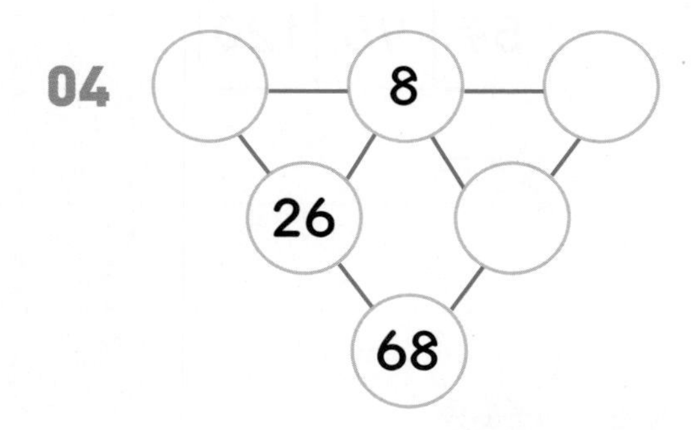

05

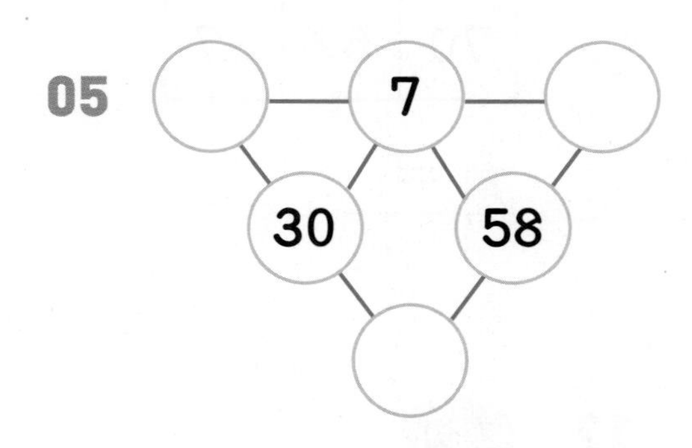

06

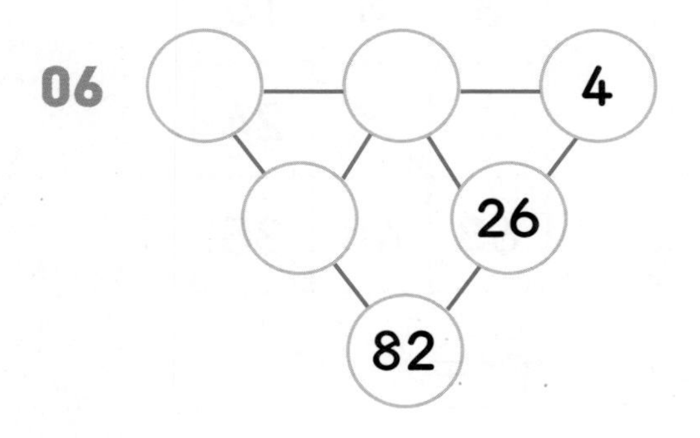

07

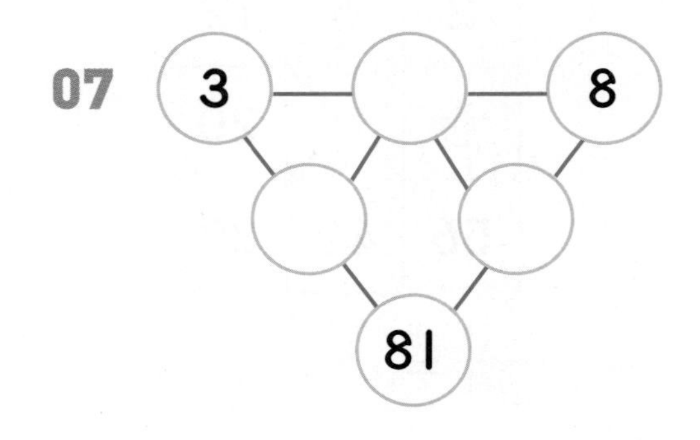

출발점에서 시작하여 시계 방향으로 일정한 규칙에 따라 수를 써넣은 것입니다. ☆표에 들어갈 알맞은 수를 구하시오. (08~13)

08 출발

1	3	7
☆	╳	15
127	63	31

☆ = ______________

09 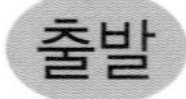

4	6	10
☆	╳	18
130	66	34

☆ = ______________

10 출발

7	10	16
☆	╳	25
70	52	37

☆ = ______________

11 출발

150	149	145
☆	╳	136
59	95	120

☆ = ______________

12 출발

2	6	12
☆	╳	20
56	42	30

☆ = ______________

13 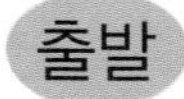

3	8	15
☆	╳	24
63	48	35

☆ = ______________

다음은 수를 어떤 규칙에 따라 그림으로 나타낸 것입니다. 이와 같은 규칙을 이용하여 어떤 수를 나타내는지 □ 안에 써넣으시오. (14~21)

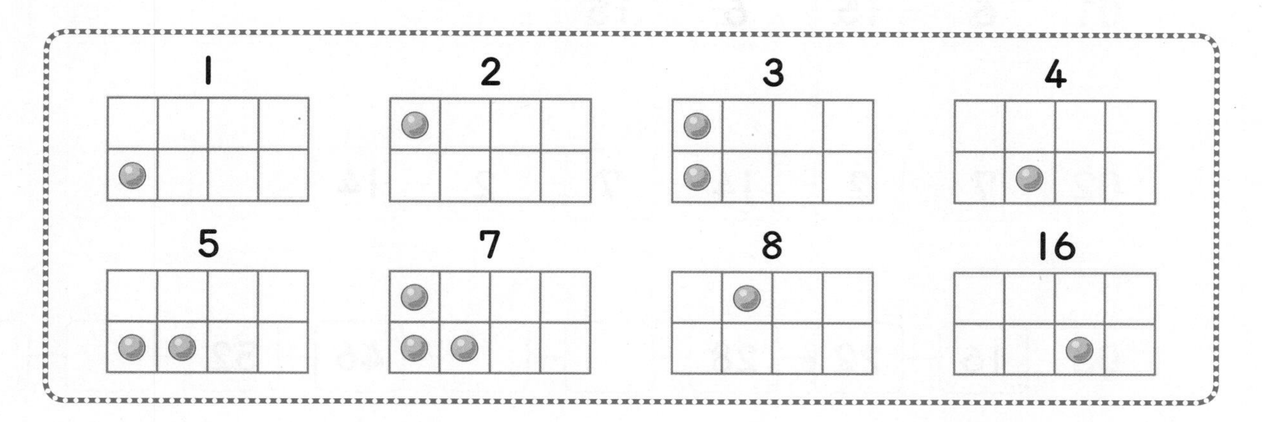

14 □

15 □

16 □

17 □

18 □

19 □

20 □

21 □

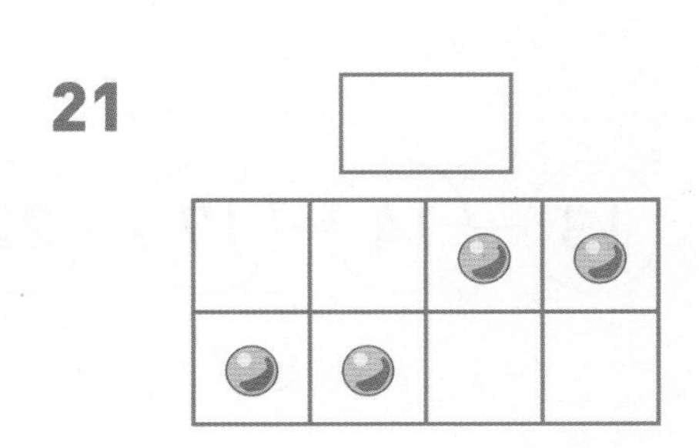

실력 점검

규칙을 찾아 빈 곳에 알맞은 수를 써넣으시오. (01~06)

01 6 – 15 – 6 – 15 – ☐ – ☐ – ☐ – ☐ – ☐

02 7 – 2 – 14 – 7 – 2 – 14 – ☐ – ☐ – ☐

03 16 – 22 – 28 – ☐ – ☐ – 46 – 52 – ☐ – ☐

04 27 – 36 – 45 – ☐ – ☐ – ☐ – 81 – 90 – ☐

05 62 – 58 – 54 – ☐ – ☐ – ☐ – ☐ – 34 – ☐

06 91 – 83 – ☐ – 67 – 59 – 51 – ☐ – ☐ – ☐

규칙을 찾아 빈 곳에 알맞은 수를 써넣으시오. (07~08)

07 20 – 21 – 23 – 26 – 30 – ◯ – ◯

+1 +2 +3 +☐ +☐ +☐

08 13 – 14 – 17 – 22 – 29 – ◯ – ◯

+1 +3 +5 +☐ +☐ +☐

실력 점검

09 규칙적으로 수를 늘어 놓았습니다. 보기 를 참고하여 열 번째에 올 수는 얼마인지 구하시오.

보기

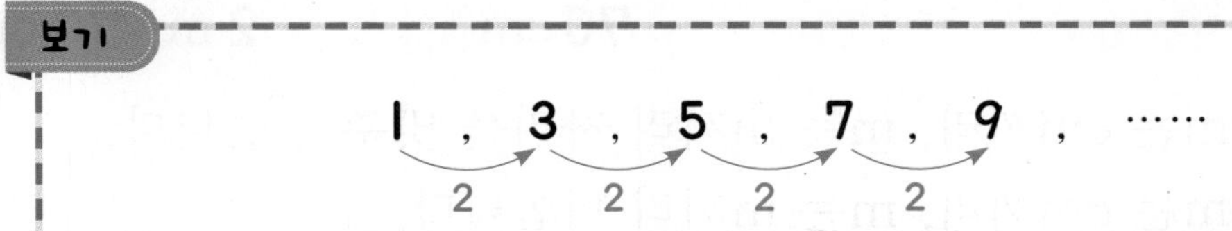

1부터 2씩 4번 뛰어서 세면 다섯 번째에 올 수는 9가 되고 이것은 다음과 같은 방법으로 구할 수 있습니다.

$$1+2+2+2+2=1+(2\times4)=1+8=9$$

6, 11, 16, 21, 26, ……

다음은 수를 어떤 규칙에 따라 그림으로 나타낸 것입니다. 이와 같은 규칙을 이용하여 어떤 수를 나타내는지 □ 안에 써넣으시오. (10~11)

1

●			

2

●			

3

●			
●			

4

	●		

5

●	●		

7

●			
●	●		

8

	●		

16

		●	

10 □

●			
		●	

11 □

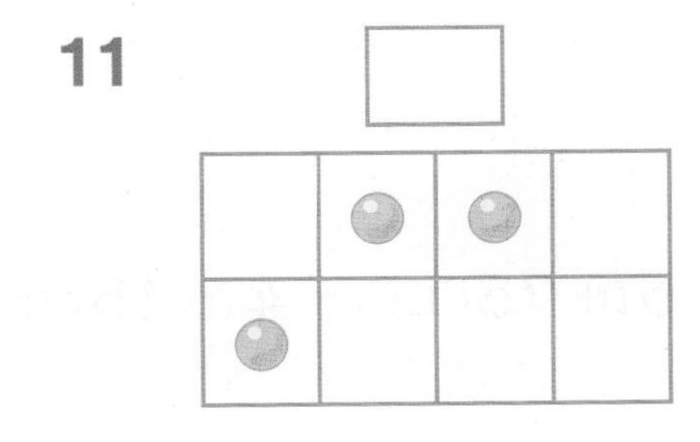

11 길이의 합과 차

개념

1. 길이의 합

$$\begin{array}{r} 1\,\text{m}\ \ 40\,\text{cm} \\ +\ 1\,\text{m}\ \ 30\,\text{cm} \\ \hline \end{array} \rightarrow \begin{array}{r|r} 1\,\text{m} & 40\,\text{cm} \\ +\ 1\,\text{m} & 30\,\text{cm} \\ \hline & 70\,\text{cm} \end{array} \rightarrow \begin{array}{r|r} 1\,\text{m} & 40\,\text{cm} \\ +\ 1\,\text{m} & 30\,\text{cm} \\ \hline 2\,\text{m} & 70\,\text{cm} \end{array}$$

① cm는 cm끼리, m는 m끼리 자리를 맞추어 씁니다.

② cm는 cm끼리, m는 m끼리 더합니다.

2. 길이의 차

$$\begin{array}{r} 3\,\text{m}\ \ 70\,\text{cm} \\ -\ 1\,\text{m}\ \ 20\,\text{cm} \\ \hline \end{array} \rightarrow \begin{array}{r|r} 3\,\text{m} & 70\,\text{cm} \\ -\ 1\,\text{m} & 20\,\text{cm} \\ \hline & 50\,\text{cm} \end{array} \rightarrow \begin{array}{r|r} 3\,\text{m} & 70\,\text{cm} \\ -\ 1\,\text{m} & 20\,\text{cm} \\ \hline 2\,\text{m} & 50\,\text{cm} \end{array}$$

① cm는 cm끼리, m는 m끼리 자리를 맞추어 씁니다.

② cm는 cm끼리, m는 m끼리 뺍니다.

□ 안에 알맞은 수를 써넣으시오. (01~04)

01 2 m 30 cm + 1 m 50 cm = □ m □ cm

02 3 m 15 cm + 2 m 20 cm = □ m □ cm

03 4 m 60 cm − 1 m 20 cm = □ m □ cm

04 6 m 75 cm − 4 m 15 cm = □ m □ cm

계산을 하시오. (05~14)

05 1 m 50 cm + 2 m 15 cm

06 3 m 70 cm − 2 m 50 cm

07 2 m 15 cm + 3 m 20 cm

08 8 m 75 cm − 5 m 70 cm

09 4 m 10 cm + 5 m 80 cm

10 9 m 65 cm − 4 m 50 cm

11 2 m 8 cm + 7 m 20 cm

12 7 m 40 cm − 3 m 30 cm

13 1 m 45 cm + 4 m 50 cm

14 4 m 60 cm − 1 m 45 cm

계산을 하시오. (15~23)

15
$$\begin{array}{rr} & 2\text{ m} \ \ 45\text{ cm} \\ + & 1\text{ m} \ \ 30\text{ cm} \\ \hline \end{array}$$

16
$$\begin{array}{rr} & 5\text{ m} \ \ 70\text{ cm} \\ - & 3\text{ m} \ \ 50\text{ cm} \\ \hline \end{array}$$

17
$$\begin{array}{rr} & 1\text{ m} \ \ 25\text{ cm} \\ + & 8\text{ m} \ \ 70\text{ cm} \\ \hline \end{array}$$

18
$$\begin{array}{rr} & 7\text{ m} \ \ 45\text{ cm} \\ - & 5\text{ m} \ \ 35\text{ cm} \\ \hline \end{array}$$

19
$$\begin{array}{rr} & 3\text{ m} \ \ 60\text{ cm} \\ + & 5\text{ m} \ \ 35\text{ cm} \\ \hline \end{array}$$

20
$$\begin{array}{rr} & 8\text{ m} \ \ 50\text{ cm} \\ - & 2\text{ m} \ \ 30\text{ cm} \\ \hline \end{array}$$

21
$$\begin{array}{rr} & 4\text{ m} \ \ 30\text{ cm} \\ + & 2\text{ m} \ \ 15\text{ cm} \\ \hline \end{array}$$

22
$$\begin{array}{rr} & 10\text{ m} \ \ 75\text{ cm} \\ - & 7\text{ m} \ \ 50\text{ cm} \\ \hline \end{array}$$

사고력 기르기

Step 1

□ 안에 알맞은 수를 써넣으시오. (01~09)

01

	5	m	□		cm
+	2	m	1	8	cm
	□	m	5	2	cm

02

	3	m	□		cm
+	3	m	2	5	cm
	□	m	8	0	cm

03 4 m □ cm + 3 m 46 cm = □ m 85 cm

04

	□	m	4	0	cm
+	3	m	□		cm
	8	m	6	5	cm

05

	□	m	3	7	cm
+	5	m	□		cm
	7	m	6	4	cm

06 □ m 28 cm + 4 m □ cm = 9 m 95 cm

07

	8	m	□		cm
+	□	m	5	5	cm
1	2	m	8	3	cm

08

	6	m	□		cm
+	□	m	4	9	cm
1	5	m	7	2	cm

09 9 m □ cm + □ m 66 cm = 16 m 80 cm

□ 안에 알맞은 수를 써넣으시오. (10~18)

10

$$\begin{array}{r} 8\text{ m}\ \square\text{ cm} \\ -\ 3\text{ m}\ 27\text{ cm} \\ \hline \square\text{ m}\ 45\text{ cm} \end{array}$$

11

$$\begin{array}{r} 12\text{ m}\ \square\text{ cm} \\ -\ 8\text{ m}\ 43\text{ cm} \\ \hline \square\text{ m}\ 37\text{ cm} \end{array}$$

12 6 m □ cm − 2 m 55 cm = □ m 16 cm

13

$$\begin{array}{r} \square\text{ m}\ 33\text{ cm} \\ -\ 2\text{ m}\ \square\text{ cm} \\ \hline 5\text{ m}\ 19\text{ cm} \end{array}$$

14

$$\begin{array}{r} \square\text{ m}\ 41\text{ cm} \\ -\ 3\text{ m}\ \square\text{ cm} \\ \hline 6\text{ m}\ 23\text{ cm} \end{array}$$

15 □ m 60 cm − 4 m □ cm = 4 m 28 cm

16

$$\begin{array}{r} 9\text{ m}\ \square\text{ cm} \\ -\ \square\text{ m}\ 75\text{ cm} \\ \hline 5\text{ m}\ 45\text{ cm} \end{array}$$

17

$$\begin{array}{r} 15\text{ m}\ \square\text{ cm} \\ -\ \square\text{ m}\ 53\text{ cm} \\ \hline 8\text{ m}\ 77\text{ cm} \end{array}$$

18 7 m □ cm − □ m 42 cm = 3 m 68 cm

보기 를 참고하여 이은 색 테이프의 길이를 구하시오. (19~21)

보기

[그림 1]과 같은 방법으로 길이가 8 cm인 색테이프 3장을 2 cm씩 겹치게 이어 붙이면 이은 부분이 2군데 나옵니다. 이때 길이는 한 번 이을 때마다 2 cm씩 줄어들게 되므로 $2\times2=4$(cm)만큼 줄어듭니다.

그러므로 이은 색 테이프 전체의 길이는

$(8\times3)-(2\times2)=24-4=20$(cm)입니다.

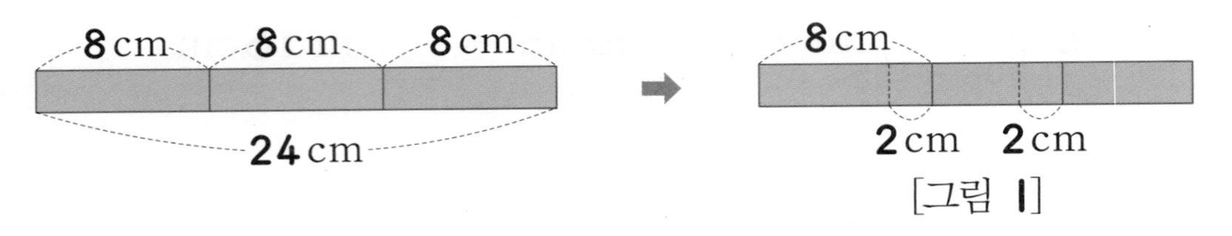

[그림 1]

19 길이가 9 cm인 색 테이프 3장을 2 cm씩 겹치게 이어 붙이면 이은 색 테이프의 길이는 몇 cm인지 구하시오.

$(\square\times\square)-(\square\times\square)=\square$ cm

20 길이가 60 cm인 색 테이프 3장을 5 cm씩 겹치게 이어 붙이면 이은 색 테이프의 길이는 몇 m 몇 cm인지 구하시오.

$(\square+\square+\square)-(\square\times\square)$

$=\square$ cm$=\square$ m $\square$ cm

21 길이가 80 cm인 색 테이프 3장을 9 cm씩 겹치게 이어 붙이면 이은 색 테이프의 길이는 몇 m 몇 cm인지 구하시오.

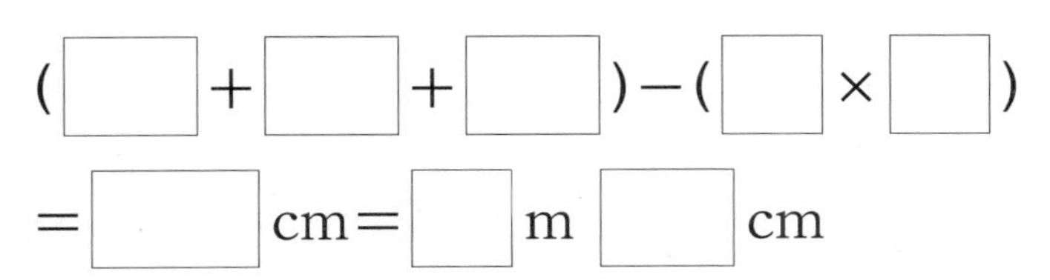

$(\square+\square+\square)-(\square\times\square)$

$=\square$ cm$=\square$ m $\square$ cm

사고력 기르기

 다음은 집의 구조를 나타낸 그림입니다. 물음에 답하시오. (01~04)

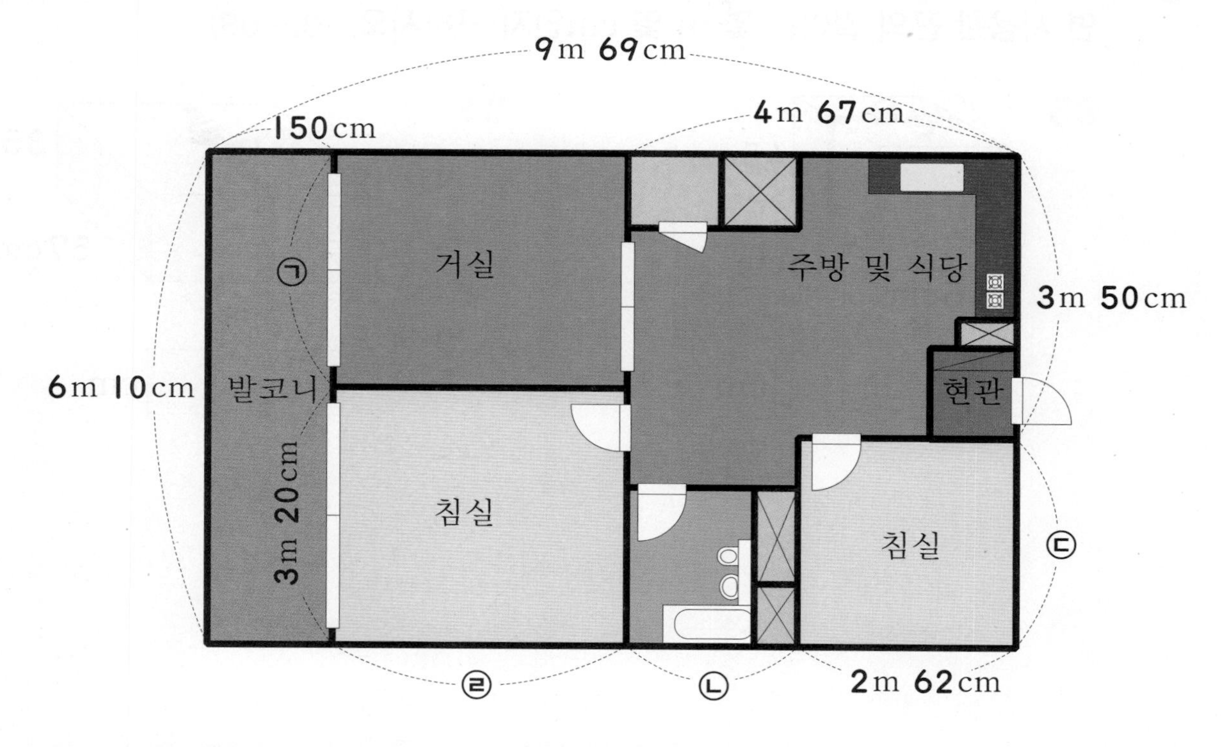

01 ㉠의 길이는 몇 m 몇 cm인지 구하시오.

02 ㉡의 길이는 몇 m 몇 cm인지 구하시오.

03 ㉢의 길이는 몇 m 몇 cm인지 구하시오.

04 ㉣의 길이는 몇 m 몇 cm인지 구하시오.

다음과 같이 상자를 끈으로 묶었습니다. 매듭으로 사용한 끈의 길이가 25cm라면 사용한 끈의 길이는 몇 m 몇 cm인지 구하시오. (05~08)

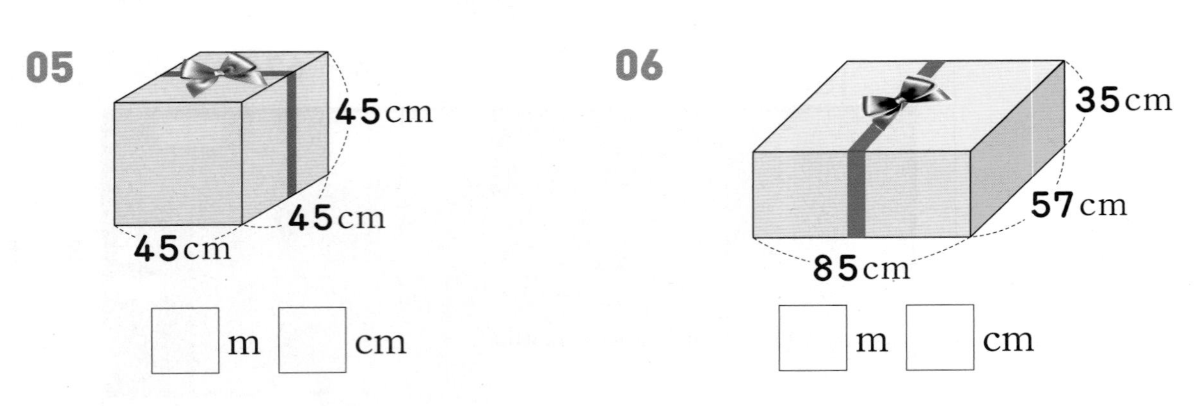

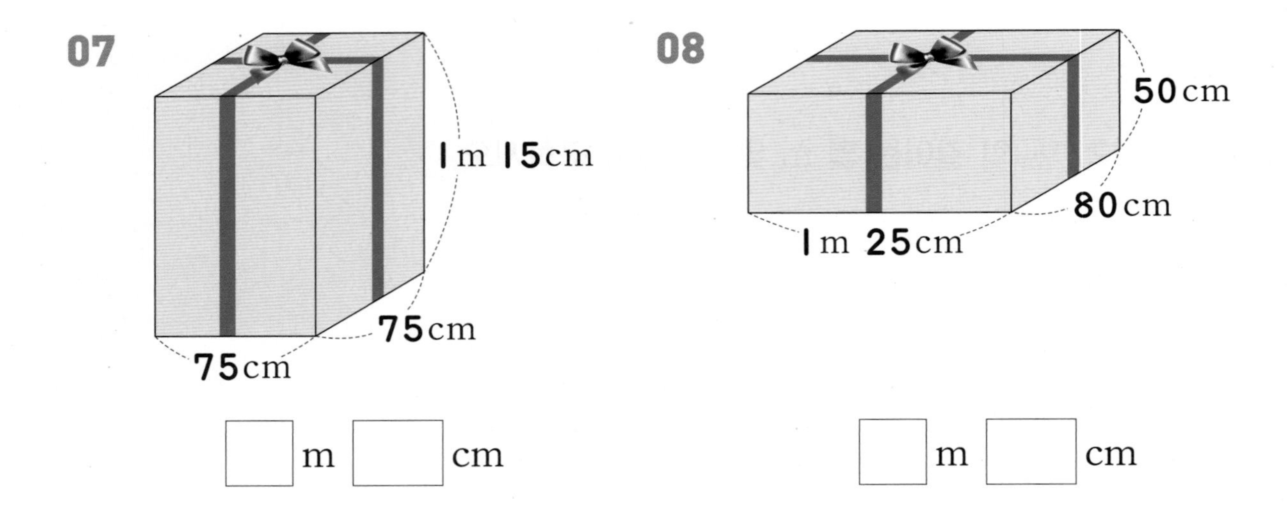

보기 와 같은 방법을 활용하여 도형에서 색칠한 부분의 둘레는 몇 m 몇 cm인지 구하시오. (09~12)

보기

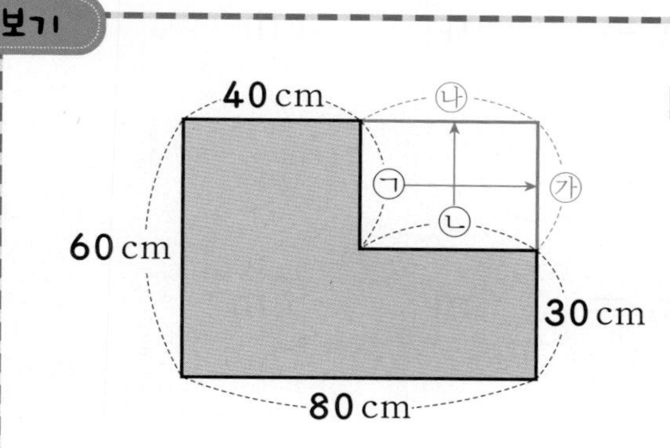

[방법 1] 색칠한 부분의 둘레를 구하기 위해서는 ㉠과 ㉡의 길이를 먼저 구한 후 각각의 길이의 합으로 둘레를 구할 수 있습니다.

㉠=60−30=30(cm), ㉡=80−40=40(cm)

(둘레)=80+60+40+30+40+30=280(cm)
=2 m 80 cm

[방법 2] ㉠을 ㉮의 위치로 옮기고 ㉡을 ㉯의 위치로 옮기면 색칠한 부분의 둘레는 사각형의 둘레와 같아집니다.

(둘레)=80+80+60+60=280(cm)=2 m 80 cm

09

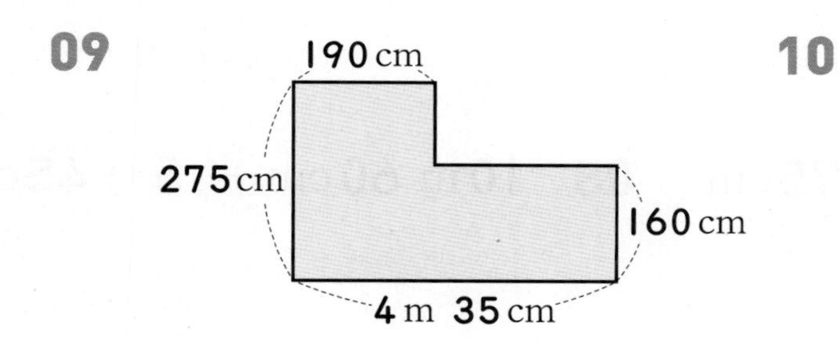

10

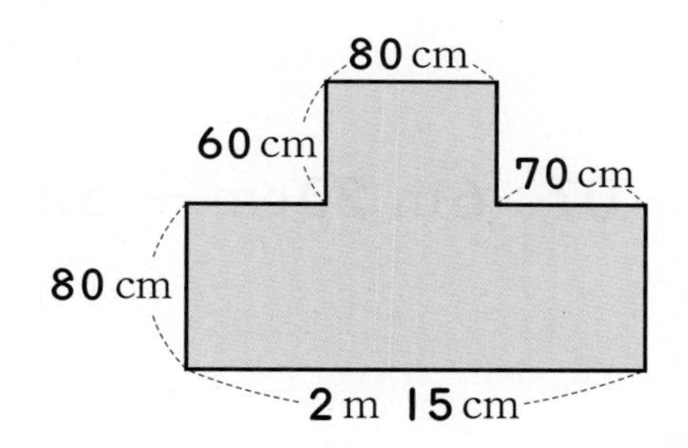

11

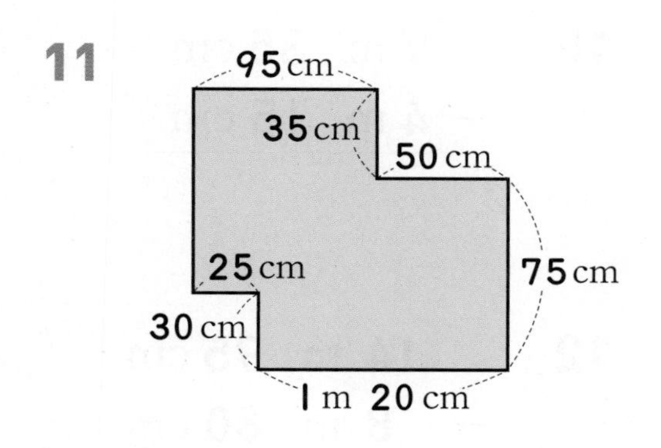

12

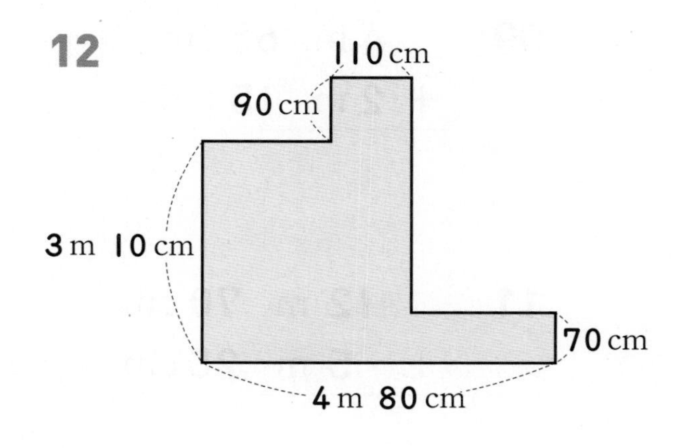

실력 점검

□ 안에 알맞은 수를 써넣으시오. (01~02)

01 2 m 15 cm + 1 m 35 cm = □ m □ cm

02 7 m 60 cm − 4 m 25 cm = □ m □ cm

계산을 하시오. (03~08)

03 6 m 10 cm + 2 m 70 cm

04 6 m 50 cm − 5 m 10 cm

05 3 m 35 cm + 2 m 15 cm

06 4 m 95 cm − 1 m 75 cm

07 6 m 20 cm + 5 m 75 cm

08 10 m 60 cm − 5 m 45 cm

계산을 하시오. (09~12)

09

$$\begin{array}{r} 4\text{ m } 65\text{ cm} \\ +\ 2\text{ m } 15\text{ cm} \\ \hline \end{array}$$

10

$$\begin{array}{r} 7\text{ m } 35\text{ cm} \\ -\ 4\text{ m } 15\text{ cm} \\ \hline \end{array}$$

11

$$\begin{array}{r} 12\text{ m } 70\text{ cm} \\ +\ 5\text{ m } 25\text{ cm} \\ \hline \end{array}$$

12

$$\begin{array}{r} 14\text{ m } 95\text{ cm} \\ -\ 8\text{ m } 80\text{ cm} \\ \hline \end{array}$$

□ 안에 알맞은 수를 써넣으시오. (13~16)

13

	3 m	□ cm
+	2 m	18 cm
	□ m	42 cm

14

	4 m	□ cm
+	3 m	25 cm
	□ m	70 cm

15

	8 m	□ cm
−	3 m	27 cm
	□ m	45 cm

16

	12 m	□ cm
−	8 m	43 cm
	□ m	37 cm

다음과 같이 상자를 끈으로 묶었습니다. 매듭으로 사용한 끈의 길이가 30 cm라면 사용한 끈의 길이는 몇 m 몇 cm인지 구하시오. (17~18)

17

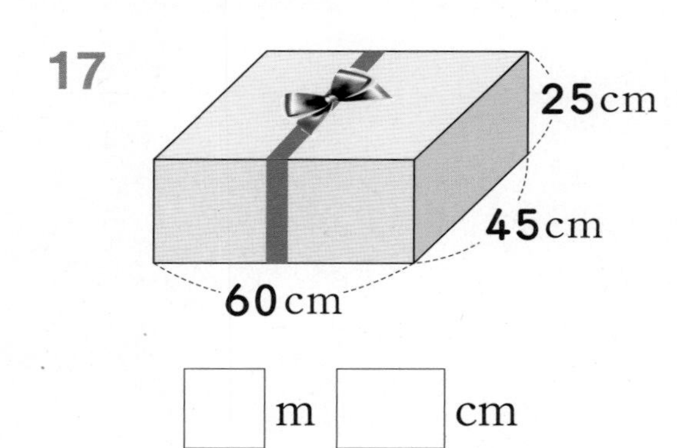

□ m □ cm

18

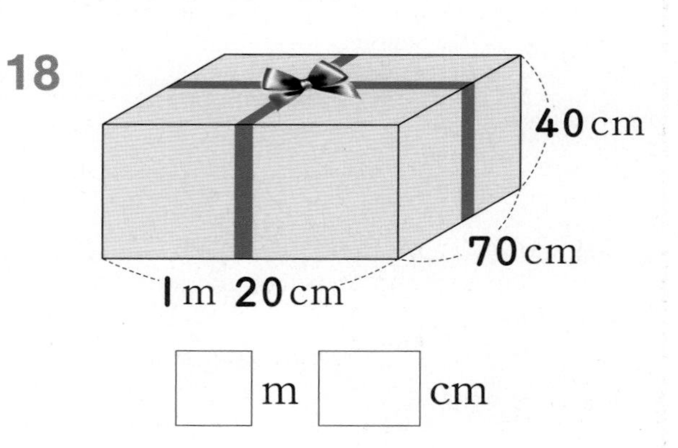

□ m □ cm

19 다음 도형에서 색칠한 부분의 둘레는 몇 m 몇 cm인지 구하시오.

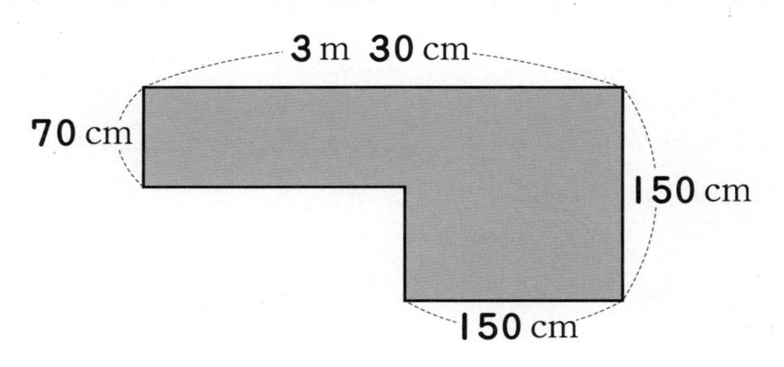

Memo

정답 및 해설

2학년

개념 01 세 자리 수 | 4쪽

01 469　02 678
03 2, 4, 8　04 3, 5, 7
05 465　06 607
07 564　08 740
09 3, 2, 6　10 4, 9, 7
11 6, 0, 9　12 6, 2, 4
13 800　14 4
15 20　16 80
17 400　18 5

사고력 기르기 Step 1 | 6쪽

01 500, 300, 30, 4 / 800, 30, 4, 834
02 700, 200, 20, 5 / 900, 20, 5, 925
03 400, 400, 10, 6 / 800, 10, 6, 816
04 630　05 478
06 760　07 170
08 218　09 238
10 500　11 4
12 13　13 3
14 354　15 675
16 594

04 300+300+30=630
05 400+70+8=478
06 60+0+700=760
07 90+20+60=170
08 200+9+9=218
09 8+30+200=238
10 500+0+0=500
11 10이 12인 수 → 100이 1, 10이 2인 수
12 100은 10이 10인 수와 같습니다.

사고력 기르기 Step 2 | 9쪽

01 451, 452, 454, 455
02 449, 451, 455, 457
03 447, 450, 456, 459
04 433, 443, 463, 473
05 253, 353, 553, 653
06 450, 451, 456, 460
07 419, 490, 528, 571, 602
08 809, 850, 899, 903, 930
09 6, 7, 8, 9　10 1, 2, 3, 4, 5
11 7, 8, 9　12 6, 7, 8, 9
13 457, 475, 547, 574, 745, 754 / 754, 457
14 258, 285, 528, 582, 825, 852 / 852, 258
15 407, 409, 470, 479, 490, 497 704, 709, 740, 749, 790, 794 904, 907, 940, 947, 970, 974 / 974, 407

실력 점검 | 12쪽

01 276　02 4, 1, 2
03 867　04 1, 9, 7
05 365　06 7,6,5
07 40　08 9
09 600　10 80
11 8　12 500
13 4　14 60
15 840　16 367
17 5　18 16
19 6, 7, 8, 9　20 1, 2, 3, 4
21 278, 287, 728, 782, 827, 872 / 872, 278

15 400+400+40=840
16 300+60+7=367
17 10이 13인 수 → 100이 1, 10이 3인 수
18 100은 10이 10인 수와 같습니다.

개념 02 받아올림 있는 (몇십 몇)+(몇)

14쪽

01	I, 3 / I, 43	02	I, 2 / I, 52
03	I, 2 / I, 72	04	22
05	7I	06	67
07	33	08	6I
09	4I	10	36
11	74	12	32
13	23	14	74
15	62	16	9I
17	8I	18	93
19	4I	20	8I

사고력 기르기

Step 1 | 16 쪽

01	7	02	7
03	8	04	9
05	5	06	7
07	7	08	9
09	8	10	8
11	7	12	9
13	4	14	4
15	6	16	7
17	9	18	5
19	5	20	8
21	7 / 2	22	8 / 3
23	7 / 4	24	9 / 5
25	9 / 6	26	7 / 7
27	5, 3	28	8, 8
29	5, 6	30	8, 7
31	9 / 2	32	7 / 3
33	6 / 4	34	8 / 5
35	9 / 6	36	5 / 7
37	9, 4	38	9, 5
39	8, 6	40	6, 8
41	4 / 6	42	5 / 2
43	3 / I	44	2 / 6
45	6 / 6	46	8 / 5
47	7, 8, 9	48	5, 6, 7, 8, 9
49	I, 2, 3, 4	50	I, 2, 3
51	35, 7, 42	52	29, 8, 37

사고력 기르기

Step 2 | 19쪽

01 87+4=9I 또는 84+7=9I
24+7=3I 또는 27+4=3I
02 76+5=8I 또는 75+6=8I
45+6=5I 또는 46+5=5I
03 86+5=9I 또는 85+6=9I
30+5= 35 또는 35+0=35
04 47, 7, 55, 8, 49, 3
05 38, 5, 35, 9, 39, 6
06 63, 9, 58, 7, 66, 8
07 29/5/34, 25/9/34, 49/3/52, 43/9/52
08 58/9/67, 59/8/67, 79/6/85, 76/9/85
09 54, 8, 62/58, 4, 62

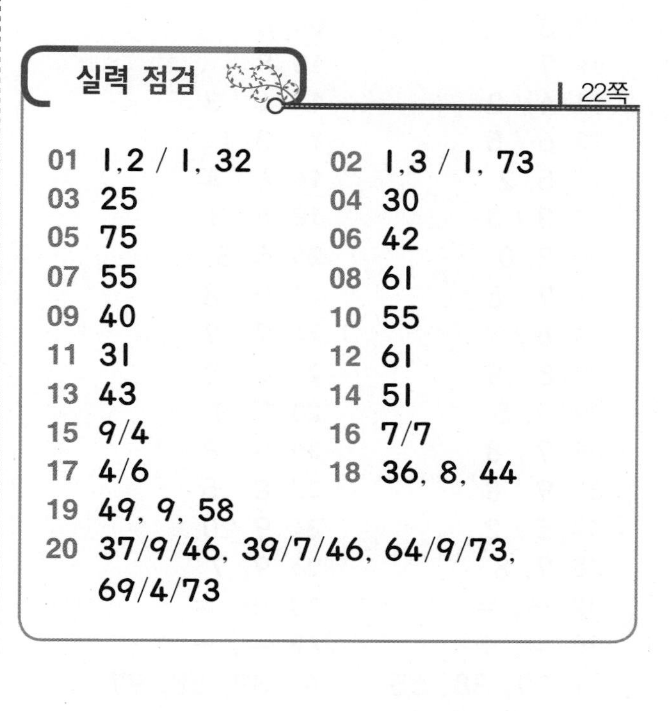

실력 점검

22쪽

01	I,2 / I, 32	02	I,3 / I, 73
03	25	04	30
05	75	06	42
07	55	08	6I
09	40	10	55
11	3I	12	6I
13	43	14	5I
15	9/4	16	7/7
17	4/6	18	36, 8, 44

19 49, 9, 58
20 37/9/46, 39/7/46, 64/9/73, 69/4/73

개념 03 받아올림 있는 (몇십 몇)+(몇십 몇) | 24쪽

01 1, 2 / 1, 52
02 1, 3 / 1, 83
03 1, 3 / 1, 1, 103
04 42
05 75
06 61
07 72
08 81
09 85
10 129
11 141
12 126
13 71
14 81
15 83
16 95
17 96
18 132
19 131
20 141

사고력 기르기 Step 1 | 26쪽

01 5
02 8
03 7
04 5
05 5
06 6
07 3
08 4
09 7
10 8
11 4 / 2
12 4 / 3
13 6 / 5
14 3, 1
15 5, 2
16 4 / 4
17 3 / 3
18 6 / 1
19 2, 0
20 6, 3
21 7 / 8
22 9 / 8
23 6 / 7
24 7 / 7
25 8 / 9
26 8 / 8
27 9, 5
28 7, 9
29 7 / 8
30 9 / 8
31 9 / 8
32 8 / 5
33 5 / 2
34 9 / 0
35 7, 8
36 9, 7
37 +, =
38 +, =
39 =, +
40 =, +
41 27, 38, 65
42 39, 58, 97
43 33, 17, 50
44 18, 27, 45 / 45, 35, 80
45 54, 29, 83 / 83, 29, 112
46 24, 38, 62 / 62, 38, 100

사고력 기르기 Step 2 | 29쪽

01 ㉥ 27, 48, 75/24, 78, 102/24, 87, 111
42, 78, 120/42, 87, 129/72, 84, 156
02 ㉥ 36, 59, 95/35, 69, 104/35, 96, 131
53, 69, 122/53, 98, 149/63, 95, 158
03 ㉥ 75, 64, 139 / 46, 57, 103
04 ㉥ 93, 84, 177 / 38, 49, 87
05 ㉥ 95, 62, 157 / 20, 56, 76
06 ㉥ 97, 83, 180 / 30, 78, 108
07 29, 44 / 50, 23 / 37, 36
08 40, 45 / 27, 58 / 56, 29
09 28, 64 / 69, 23 / 37, 55
10 74, 30 / 39, 65 / 68, 36
11 46, 65 / 37, 74 / 63, 48
12 58, 65 / 77, 46 / 34, 89

실력 점검 | 32쪽

01 1, 3 / 1, 43
02 1, 3 / 1, 1, 133
03 47
04 61
05 75
06 111
07 121
08 120
09 41
10 143
11 61
12 113
13 81
14 152
15 7/9
16 9/6
17 8/8
18 26, 46, 72
19 28, 37, 65 / 65, 25, 90
20 ㉥ 85, 73, 158 / 37, 58, 95

개념 04 받아내림 있는 (몇십 몇)−(몇)

34쪽

01 4, 10, 4 / 4, 10, 44
02 1, 10, 8 / 1, 10, 18
03 3, 10, 9 / 3, 10, 39
04 15
05 52
06 61
07 26
08 72
09 88
10 49
11 65
12 49
13 46
14 33
15 66
16 29
17 18
18 87
19 78
20 59

사고력 기르기

Step 1 36쪽

01 8
02 9
03 7
04 6
05 9
06 0
07 1
08 2
09 1
10 4
11 6/4
12 8 / 1
13 7 / 3
14 5, 5
15 5, 6
16 2 / 2
17 3 / 5
18 4 / 7
19 6, 3
20 6, 8
21 23, 8
22 34, 9
23 42, 8
24 63, 9
25 55, 6
26 6
27 7
28 8
29 7
30 5
31 3
32 23, 4, 19
33 46, 8, 38
34 37, 9, 28

21 23+8=31, 23−8=15
22 34+9=43, 34−9=25
23 42+8=50, 42−8=34
24 63+9=72, 63−9=54
25 55+6=61, 55−6=49
26 1, 2, 3, 4, 5, ⑥
27 1, 2, 3, 4, 5, 6, ⑦
28 1, 2, 3, 4, 5, 6, 7, ⑧
29 1, 2, 3, 4, 5, 6, ⑦
30 1, 2, 3, 4, ⑤
31 1, 2, ③

사고력 기르기

Step 2 39쪽

01 (시계방향으로) 85, 6, 9
02 (시계방향으로) 9, 6, 58
03 (시계방향으로) 76, 4, 6
04 (시계방향으로) 6, 92, 8
05 (시계방향으로) 85, 7, 3
06 (시계방향으로) 5, 9, 91
07 (시계방향으로) 7, 51, 47
08 (시계방향으로) 71, 6, 69
09 67, 9, 58 / 67, 8, 59
10 45, 7, 38 / 45, 8, 37
11 53, 7, 46 / 53, 6, 47
12 72, 8, 64 / 72, 4, 68
13 43, 6 / 39, 2 / 46, 9
14 73, 9 / 72, 8 / 71, 7
15 74, 8, 66 / 64, 6, 58
16 73, 8, 65 / 67, 9, 58 / 53, 7, 46 / 53, 8, 45
17 92, 8, 84 / 83, 4, 79 / 75, 6, 69

01 두 수의 차 : 80−3=77
02 두 수의 차 : 64−8=56
03 두 수의 차 : 75−8=67
04 두 수의 차 : 90−2=88
05 두 수의 차 : 81−5=76
06 두 수의 차 : 94−7=87
07 두 수의 차 : 54−9=45
08 두 수의 차 : 74−8=66
09 (빼지는 수)−(빼는 수)=(두 수의 차)에서 받아내리는 뺄셈이므로 빼지는 수의 십의 자리 숫자는 두 수의 차의 십의 자리 숫자보다 1 큰 숫자입니다.
15 (두 자리 수)−(한 자리 수)의 뺄셈입니다.

실력 점검

42쪽

01 7, 10, 7 / 7, 10, 77
02 5, 10, 7 / 5, 10, 57
03 11　04 82
05 28　06 57
07 38　08 27
09 34　10 53
11 38　12 48
13 57　14 64
15 43, 7　16 24, 9
17 35, 8, 27　18 56, 7, 49
19 34, 6, 28 / 34, 8, 26
20 91, 4, 87 / 91, 7, 84

15 43+7=50, 43−7=36
16 24+9=33, 24−9=15

개념 05 받아내림 있는 (몇십 몇)−(몇십 몇)

44쪽

01 5, 10, 8 / 5, 10, 48
02 4, 10, 7 / 4, 10, 37
03 5, 10, 3 / 5, 10, 23
04 25　05 23
06 32　07 24
08 29　09 57
10 47　11 26
12 27　13 28
14 37　15 28
16 39　17 55
18 48　19 17
20 38

사고력 기르기

Step 1 46쪽

01 8　02 3
03 8　04 5
05 4　06 2
07 3　08 0
09 2　10 2
11 1 / 6　12 4 / 9
13 5 / 8　14 2, 8
15 2, 5　16 7 / 6
17 9 / 6　18 8 / 6
19 6, 7　20 9, 7
21 7 / 7　22 6 / 8
23 6 / 9　24 5, 7
25 9, 6　26 2 / 1
27 3 / 5　28 4 / 2
29 4, 2　30 4, 1
31 59, 46　32 44, 27
33 47, 29　34 19
35 48　36 19
37 16　38 29
39 18

31 13씩 작아지는 규칙으로 뛰어서 센 것입니다.
32 17씩 작아지는 규칙으로 뛰어서 센 것입니다.
33 18씩 작아지는 규칙으로 뛰어서 센 것입니다.
34 55−18=37, 37−18=19
35 80−16=64, 64−16=48
36 77−29=48, 48−29=19
37 92−38=54, 54−38=16
38 83−27=56, 56−27=29
39 52−17=35, 35−17=18

사고력 기르기

Step 2 | 49쪽

01 4, −　02 3, −
03 +, 4　04 +, 8
05 −, 2　06 −, 7
07 4, +　08 6, −
09 9, +　10 −, 9
11 +, 9　12 −, 7
13 60, 47　14 92, 66
15 80, 26　16 17, 52
17 27, 74　18 19, 87
19 28, 91　20 72, 47
21 82, 33
22 예 96, 74, 170 / 71, 69, 2
23 예 96, 85, 181 / 62, 59, 3
24 예 96, 74, 170 / 71, 69, 2
25 예 97, 85, 182 / 82, 79, 3

실력 점검

| 52쪽

01 2, 10, 3 / 2, 10, 13
02 3, 10, 6 / 3, 10, 26
03 22　04 34
05 34　06 53
07 38　08 13
09 19　10 51
11 17　12 18
13 34　14 27
15 8, 6　16 7, 8
17 6, 9　18 22
19 14
20 예 86, 72, 158 / 71, 68, 3

18 $54-16=38$, $38-16=22$
19 $70-28=42$, $42-28=14$

개념 06 덧셈으로 이루어진 세 수의 계산

| 54쪽

01 57, 51, 57 / 51, 51, 57
02 66, 45, 66 / 45, 45, 66
03 58, 41, 58 / 41, 41, 58
04 61, 44, 61 / 44, 44, 61
05 83, 44, 83 / 44, 44, 83
06 96, 61, 96 / 61, 61, 96
07 58　08 62
09 68　10 52
11 76　12 79
13 95　14 75
15 91　16 92

사고력 기르기

Step 1 | 56 쪽

01 1, 2, 3, 81　02 1, 2, 3, 82
03 1, 2, 3, 83　04 7, 8, 9, 124
05 7, 8, 9, 154　06 35
07 15　08 18
09 17　10 16
11 24　12 39
13 31　14 16
15 45　16 58
17 28　18 6
19 7

01 세 수의 합이 가장 작게 하려면 십의 자리 숫자가 가장 작은 수부터 차례로 넣습니다.

04 세 수의 합이 가장 크게 하려면 일의 자리 숫자가 큰 숫자부터 차례로 넣습니다.

06 $25+38+$●의 계산 결과가 99보다 1 작은 수인 98이 되도록 합니다.
$25+38+$●$=63+$●$=98$에서 ●$=35$입니다.

07 ●$+17+59$의 계산 결과가 92보다 1 작은 수인 91이 되도록 합니다.

08 $36+$●$+25$의 계산 결과가 80보다 1 작은 수인 79가 되도록 합니다.

09 $14+●+39$의 계산 결과가 71보다 1 작은 수인 70이 되도록 합니다.

10 $18+27+◆$의 계산 결과가 61이 되도록 합니다. $18+27+◆=45+◆=61$에서 $◆=16$입니다.

11 $◆+35+37=96$에서 $◆=24$입니다.

12 $26+◆+26=91$에서 $◆=39$입니다.

13 $15+◆+28=74$에서 $◆=31$입니다.

14 **15** **16** **17**

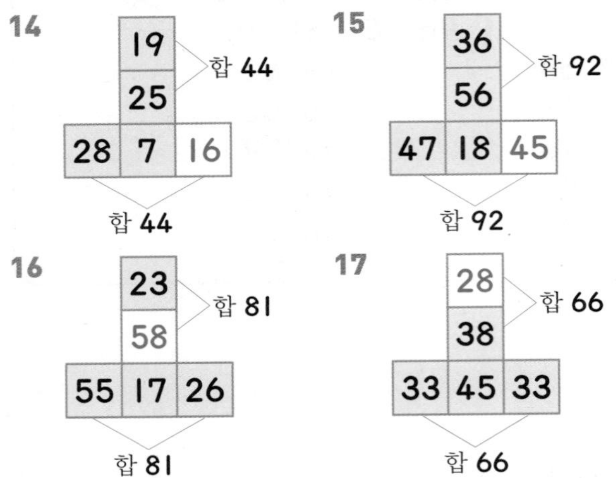

18 몇십 부분만 더하면 $10+30+40=80$이므로 ♥$+$♥$+$♥$=98-80=18$에서 ♥$=6$입니다.

19 몇십 부분만 더하면 $20+20+30=70$이므로 ♥$+$♥$+$♥$=91-70=21$에서 ♥$=7$입니다.

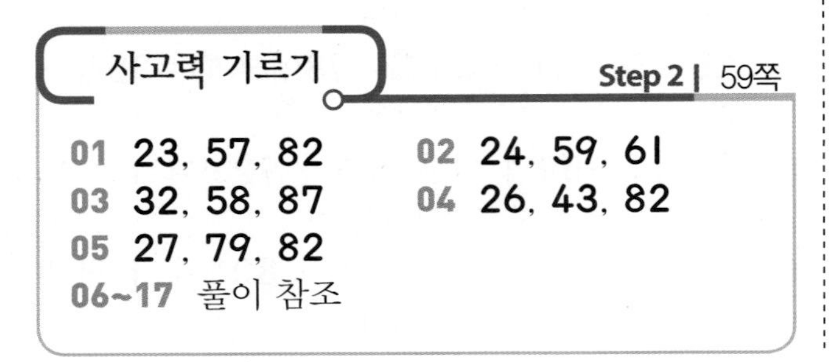
사고력 기르기 Step 2 | 59쪽

01 23, 57, 82 **02** 24, 59, 61
03 32, 58, 87 **04** 26, 43, 82
05 27, 79, 82
06~17 풀이 참조

06

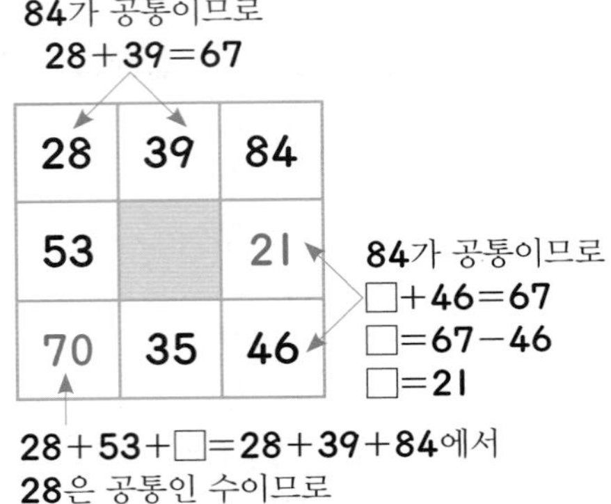

$28+53+□=28+39+84$에서
28은 공통인 수이므로
$53+□=39+84$
$□=123-53$
$□=70$입니다.

07

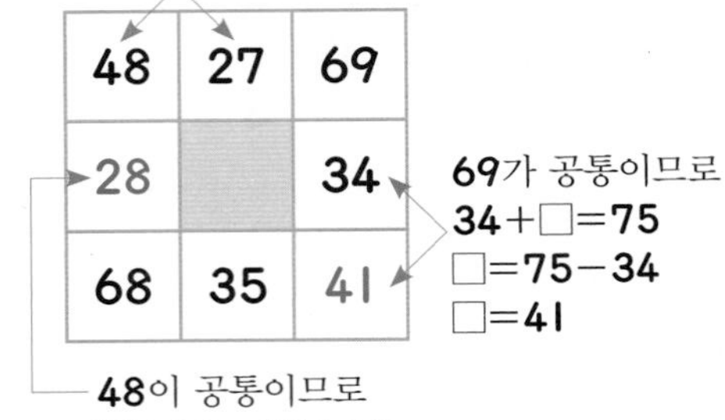

48이 공통이므로
$□+68=27+69$
$□=96-68$
$□=28$

08

46이 공통이므로
$(27+69)-54=42$

46	42	54
27		30
69	15	58

69가 공통이므로
$46+27=73$

$(69+15)-54$
$=30$

69가 공통이므로
$15+□=73$
$□=73-15$
$□=58$

09

57이 공통이므로
$(79+15)-68=26$

68	26	57
60		15
23	49	79

79가 공통이므로
$(23+49)-15$
$=57$

23이 공통이므로
$(49+79)-68=60$

10

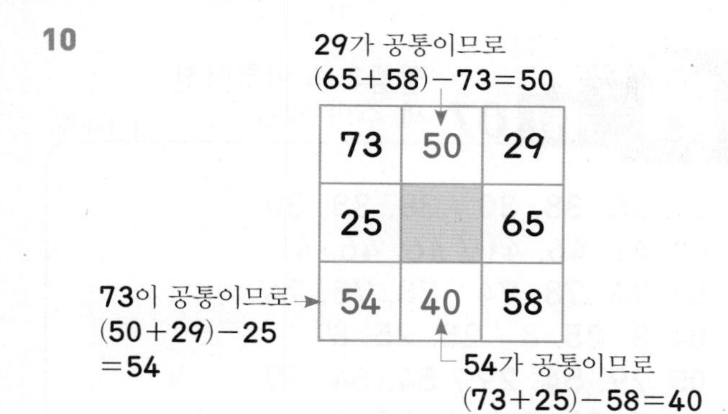

11

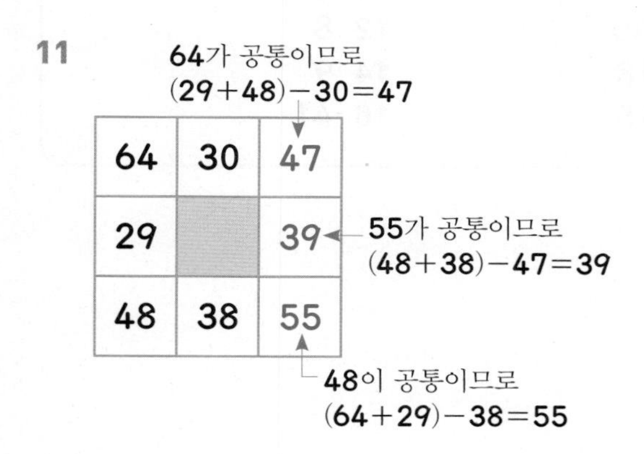

12

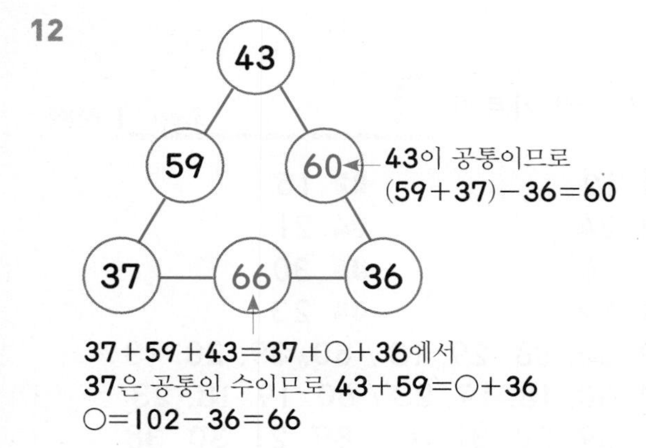

13

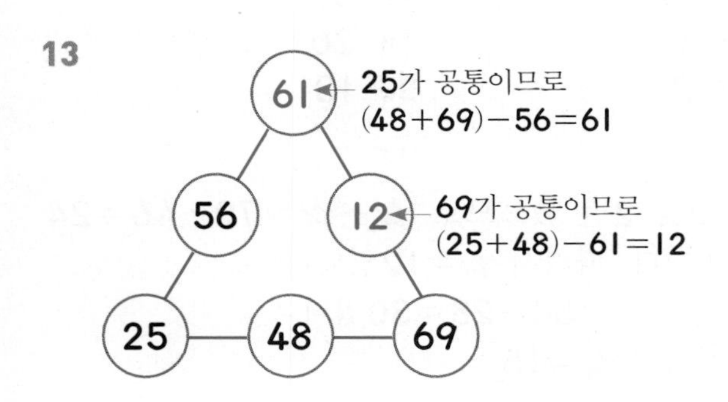

14

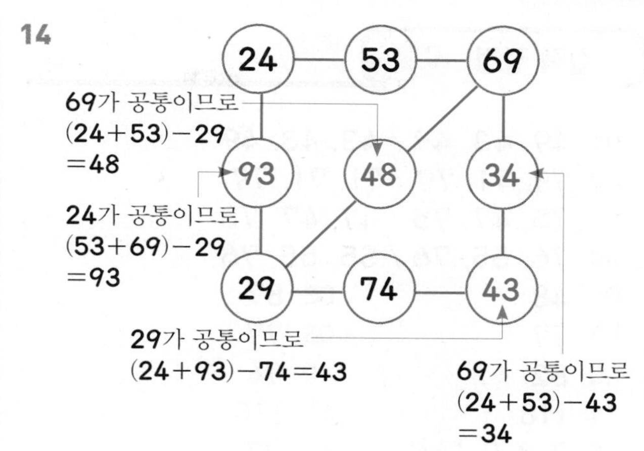

15

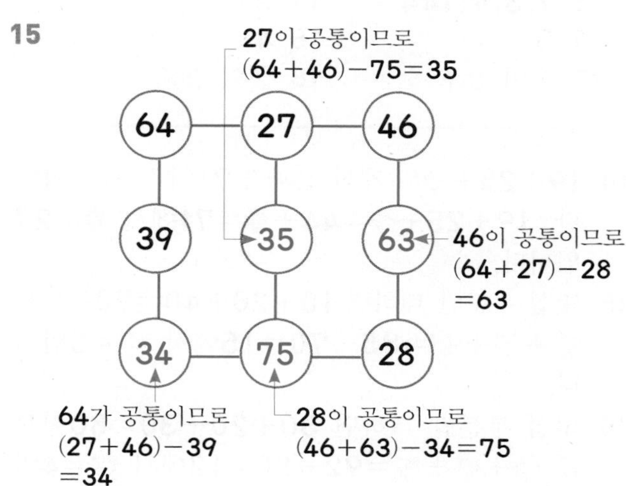

16

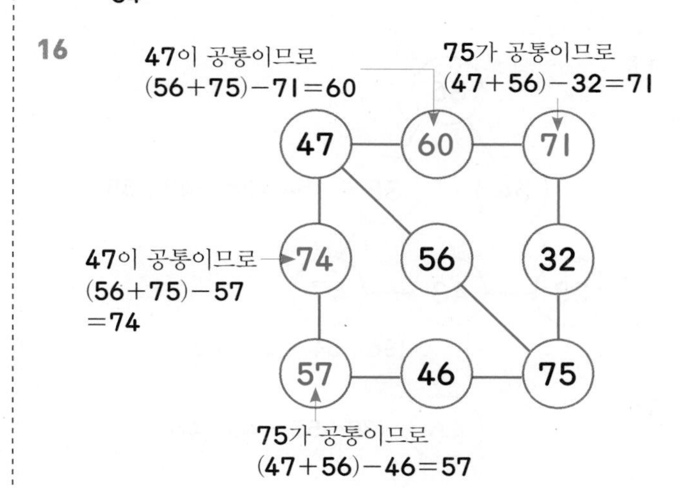

17

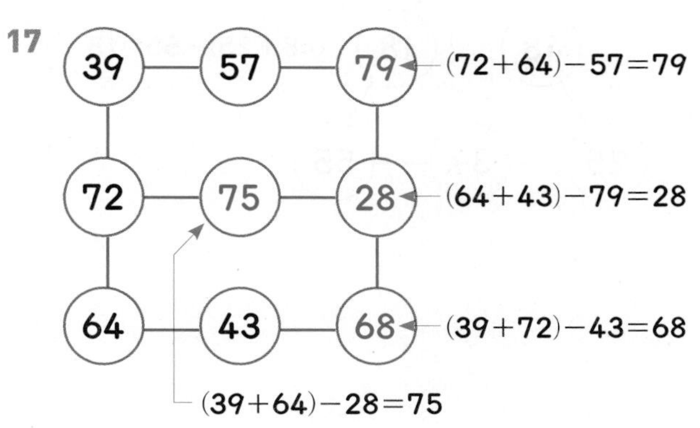

실력 점검

62쪽

01 49, 43, 49 / 43, 43, 49
02 79, 71, 79 / 71, 71, 79
03 75, 47, 75 / 47, 47, 75
04 76, 55, 76 / 55, 55, 76

05	48	06	87
07	77	08	77
09	82	10	94
11	118	12	110
13	7,8,9,144	14	27
15	5	16	4
17	풀이 참조	18	풀이 참조

14 $19+25+$◆의 계산 결과가 71이 되도록 합니다. $19+25+$◆$=44+$◆$=71$에서 ◆$=27$입니다.

15 몇십 부분만 더하면 $10+20+40=70$이므로 ♥+♥+♥$=85-70=15$에서 ♥$=5$입니다.

16 몇십 부분만 더하면 $30+20+30=80$이므로 ♥+♥+♥$=92-80=12$에서 ♥$=4$입니다.

17

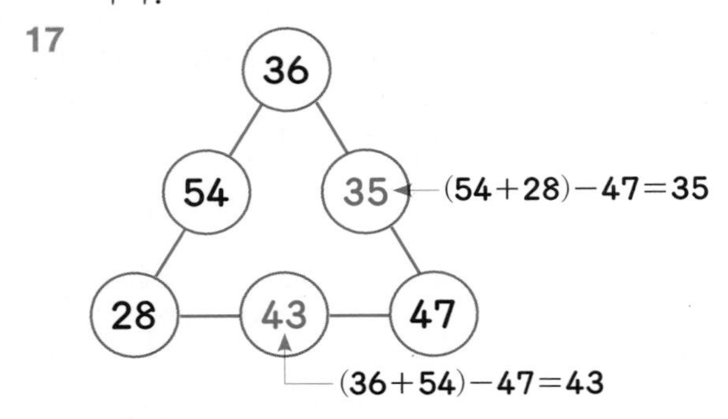

18

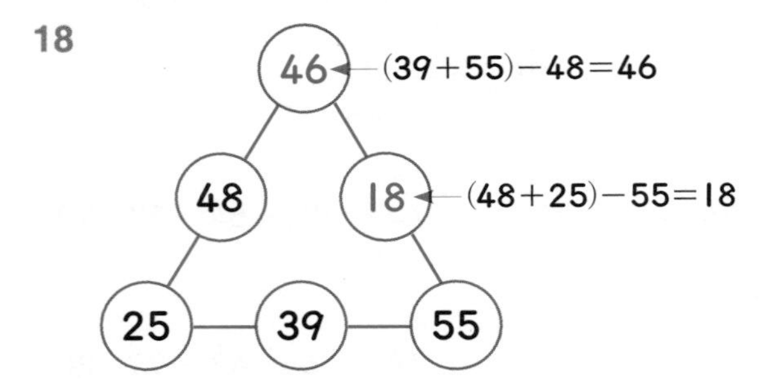

개념 07 뺄셈으로 이루어진 세 수의 계산

64쪽

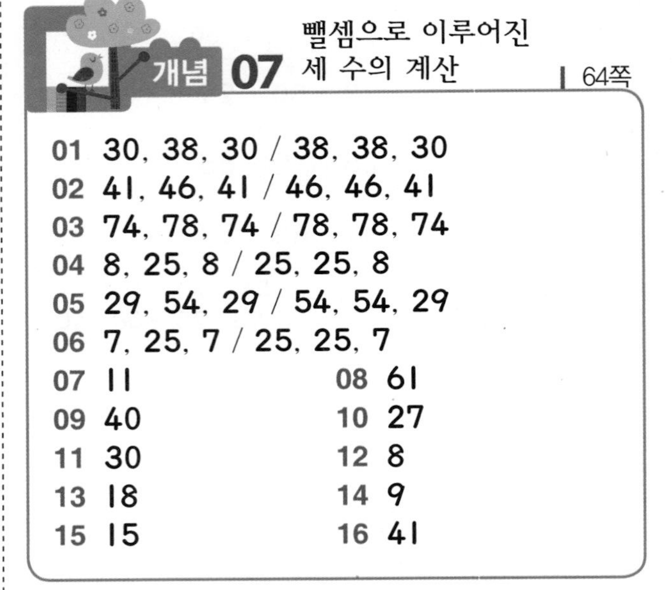

01 30, 38, 30 / 38, 38, 30
02 41, 46, 41 / 46, 46, 41
03 74, 78, 74 / 78, 78, 74
04 8, 25, 8 / 25, 25, 8
05 29, 54, 29 / 54, 54, 29
06 7, 25, 7 / 25, 25, 7

07	11	08	61
09	40	10	27
11	30	12	8
13	18	14	9
15	15	16	41

사고력 기르기

Step 1 | 66쪽

01	12	02	15
03	24	04	21
05	14	06	30
07	32	08	23

09 80, 38, 29, 13 / 80, 39, 28, 13
10 60, 18, 19, 23 / 60, 19, 18, 23
11 89, 20, 31, 38 / 89, 21, 30, 38
12 99, 10, 31, 58 / 99, 11, 30, 58

13	26	14	7
15	33	16	31
17	15	18	26
19	21	20	18

01 ★을 2번 뺐으므로 ★+★$=70-46=24$입니다. 따라서 ★$=12$입니다.

02 ★+★$=58-28=30$입니다. 따라서 ★$=15$입니다.

사고력 기르기

Step 2 | 69쪽

01 16　02 21
03 26　04 10
05 19　06 18
07 풀이 참조　08 4
09 5　10 2
11 3　12 1
13 31, 17, 19　14 44, 28, 57
15 시계 방향 43, 40, 42
16 위쪽부터 18, 18, 33
17 시계 방향 39, 14, 34
18 시계 방향 17, 17, 38

07

89−5	−25	=39
92−15	−23	=22
76−29	−38	=61
83−27	−37	=19

(89−5 — −23 — =61, 92−15 — −38 — =39, 76−29 — −25 — =22, 83−27 — −37 — =19)

08 70−20−20=30이므로 ♥ 2개의 합은 30−22=8입니다. 따라서 ♥=4입니다.

09 83−30−10=43이므로 ♥ 2개의 합은 43−33=10입니다. 따라서 ♥=5입니다.

10 55−20−10=25이므로 ♥ 2개의 합은 25−21=4입니다. 따라서 ♥=2입니다.

11 80−30−20=30이므로 ♥ 2개의 합은 30−24=6입니다. 따라서 ♥=3입니다.

12 94−20−40=34이므로 ♥ 2개의 합은 34−32=2입니다. 따라서 ♥=1입니다.

실력 점검

72쪽

01 23, 29, 23 / 29, 29, 23
02 30, 35, 30 / 35, 35, 30
03 15, 30, 15 / 30, 30, 15
04 13, 27, 13 / 27, 27, 13
05 24　06 35
07 42　08 37
09 24　10 40
11 32　12 30
13 12　14 24
15 99, 20, 31, 48 / 99, 21, 30, 48
17 35, 3, 24　18 49, 17, 45

13 ☆을 2번 뺐으므로 ☆+☆=60−36=24입니다. 따라서 ☆=12입니다.

14 ☆+☆=72−24=48입니다. 따라서 ☆=24입니다.

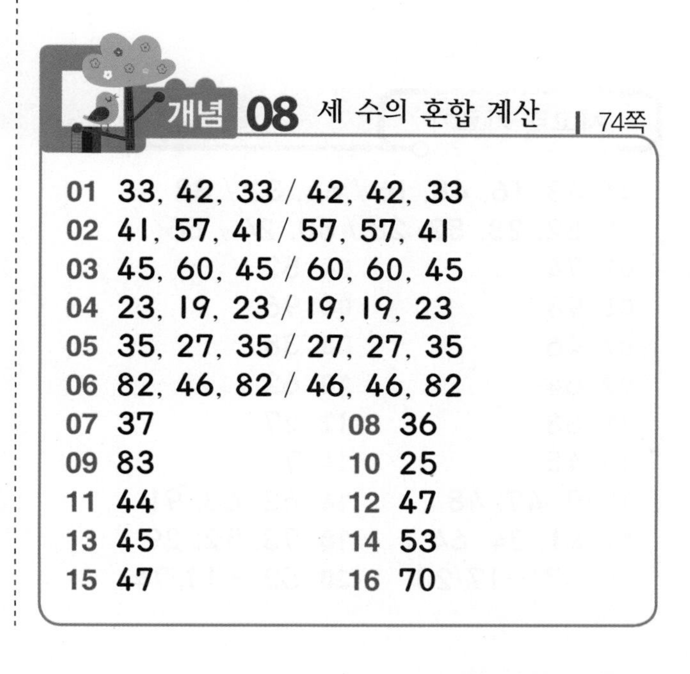

개념 08 세 수의 혼합 계산

74쪽

01 33, 42, 33 / 42, 42, 33
02 41, 57, 41 / 57, 57, 41
03 45, 60, 45 / 60, 60, 45
04 23, 19, 23 / 19, 19, 23
05 35, 27, 35 / 27, 27, 35
06 82, 46, 82 / 46, 46, 82
07 37　08 36
09 83　10 25
11 44　12 47
13 45　14 53
15 47　16 70

사고력 기르기 Step 1 | 76쪽

01	+, −	02	+, −
03	−, +	04	−, +
05	+, −	06	−, +

07 25−7+18=36 또는 18−7+25=36

08 33−11+49=71 또는 49−11+33=71

09	1, 2, 3, 4	10	1, 2, 3, 4, 5
11	1, 2, 3, 4	12	1, 2, 3, 4, 5, 6
13	1, 2, 3, 4	14	1, 2, 3
15	1, 2, 3, 4, 5	16	1, 2, 3
17	47	18	15
19	89	20	47
21	32	22	26

17 ●=10, ▲=45, ■=12이므로
♥=45+12−10=47입니다.

18 ●=12, ▲=18, ■=9이므로
♥=18+9−12=15입니다.

19 ●=33, ▲=70, ■=14이므로
♥=70−14+33=89입니다.

20 ●=23, ▲=42, ■=18이므로
♥=42−18+23=47입니다.

21 ●=20, ▲=38, ■=26이므로
♥=38−26+20=32입니다.

22 ●=30, ▲=37, ■=19이므로
♥=37+19−30=26입니다.

사고력 기르기 Step 2 | 79쪽

01 48, 16, 48, 16 / 64, 32 / 32

02 52, 28, 52, 28 / 80, 24 / 56

03	74	04	52
05	98	06	96
07	46	08	38
09	64	10	62
11	33	12	27
13	45	14	71
15	9, 47, 48	16	62, 63, 91
17	81, 34, 64	18	73, 72, 29
19	57/−17/23	20	52/+19/74

09 ☆+24=52+36 ☆=64

10 ☆+29=37+54 ☆=62

11 ☆+42=37+38 ☆=33

12 ☆+44=28+43 ☆=27

13 ☆+47=34+58 ☆=45

14 ☆+26=49+48 ☆=71

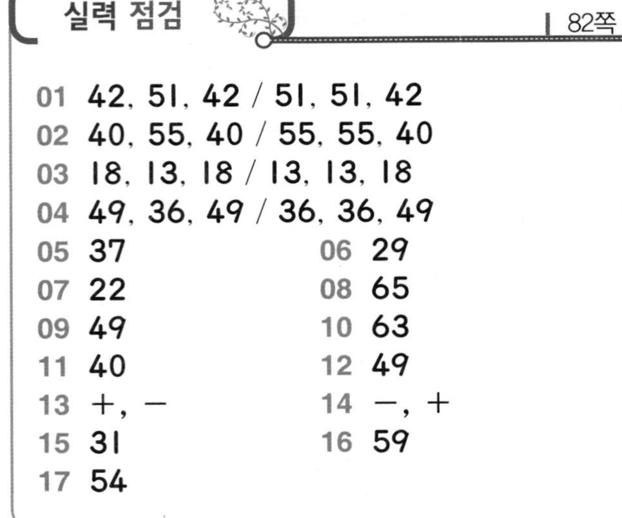

실력 점검 | 82쪽

01 42, 51, 42 / 51, 51, 42

02 40, 55, 40 / 55, 55, 40

03 18, 13, 18 / 13, 13, 18

04 49, 36, 49 / 36, 36, 49

05	37	06	29
07	22	08	65
09	49	10	63
11	40	12	49
13	+, −	14	−, +
15	31	16	59
17	54		

15 ●=32, ▲=48, ■=15이므로
♥=48+15−32=31입니다.

16 ☆+24=45+38, ☆=59

17 ☆+39=27+66, ☆=54

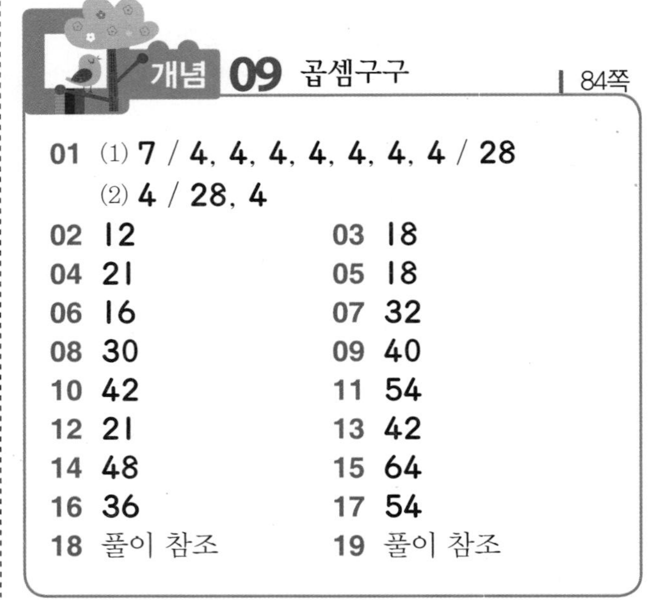

개념 09 곱셈구구 | 84쪽

01 (1) 7 / 4, 4, 4, 4, 4, 4, 4 / 28
(2) 4 / 28, 4

02	12	03	18
04	21	05	18
06	16	07	32
08	30	09	40
10	42	11	54
12	21	13	42
14	48	15	64
16	36	17	54
18	풀이 참조	19	풀이 참조

18

19

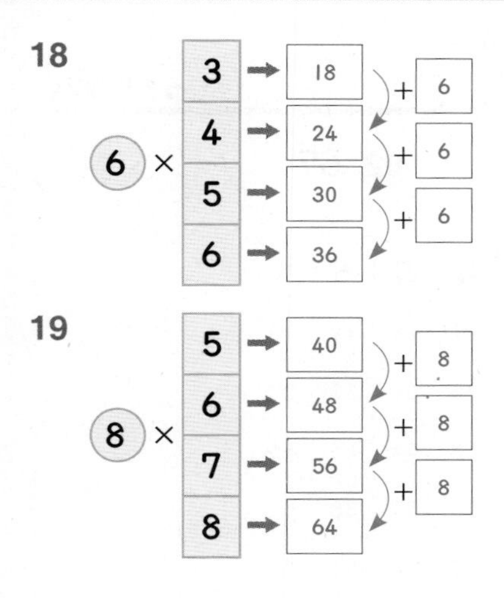

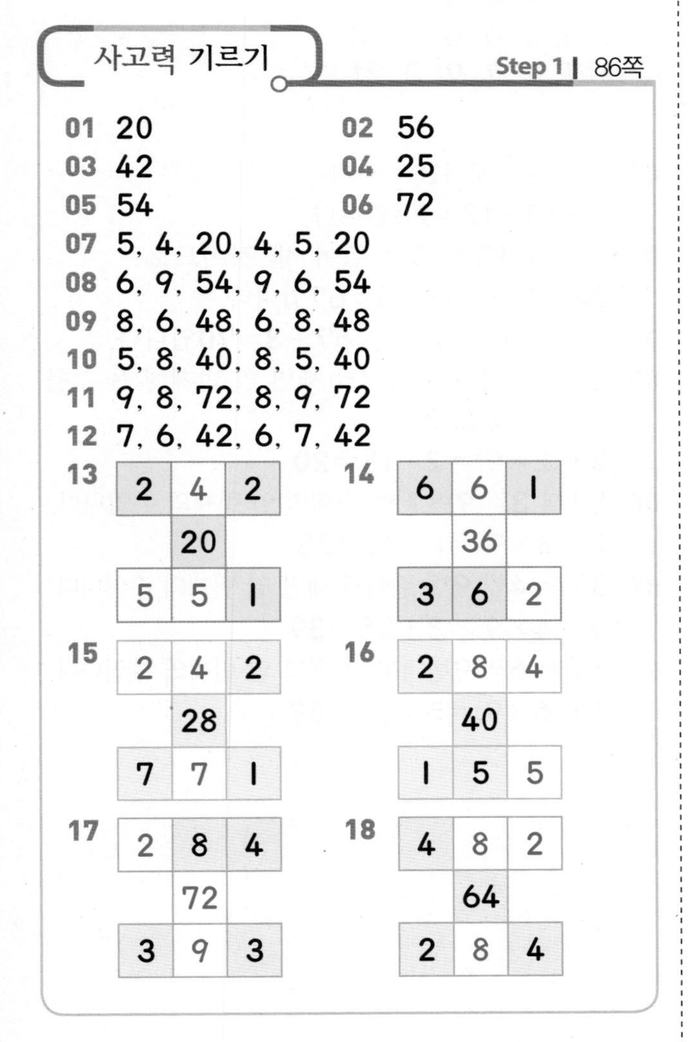

사고력 기르기

Step 1 | 86쪽

01 20
02 56
03 42
04 25
05 54
06 72
07 5, 4, 20, 4, 5, 20
08 6, 9, 54, 9, 6, 54
09 8, 6, 48, 6, 8, 48
10 5, 8, 40, 8, 5, 40
11 9, 8, 72, 8, 9, 72
12 7, 6, 42, 6, 7, 42

13

2	4	2
	20	
5	5	1

14

6	6	1
	36	
3	6	2

15

2	4	2
	28	
7	7	1

16

2	8	4
	40	
1	5	5

17

2	8	4
	72	
3	9	3

18

4	8	2
	64	
2	8	4

13~18 가로 또는 세로 방향의 세 수에서 가운데의 수는 양쪽 두 수의 곱입니다.

사고력 기르기

Step 2 | 89쪽

01 0, 1, 2, 3, 4, 5 / 6, 7, 8, 9
02 0, 3, 1, 8, 2, 5 / 4, 6, 7, 9
03 0, 9, 1, 5, 2, 6 / 3, 8, 4, 7
04 0, 5, 1, 9, 2, 6 / 3, 7, 4, 8
05 0, 8, 1, 6, 2, 4 / 3, 7, 5, 9
06 0, 6, 1, 8, 3, 4 / 2, 9, 5, 7

07

×	2	4	6
4	8	16	24
3	6	12	18
5	10	20	30

08

×	2	7	5
3	6	21	15
6	12	42	30
9	18	63	45

09

×	6	3	4
4	24	12	16
6	36	18	24
5	30	15	20

10

×	3	8	9
2	6	16	18
7	21	56	63
8	24	64	72

11

×	2	5	3
5	10	25	15
6	12	30	18
4	8	20	12

12

×	9	6	7
2	18	12	14
7	63	42	49
4	36	24	28

13 예 $(3+5)\times(2+7)=72$
14 예 $(1+7)\times(3+5)=64$
15 예 $(7-5)\times(9-3)=12$
16 예 $(8-4)\times(9-5)=16$
17 예 $(3+6)\times(7-5)=18$
18 예 $(3+5)\times(9-2)=56$

실력 점검

92쪽

01 (1) 4 / 9, 9, 9, 9, 36
(2) 9 / 36, 9

02 10
03 15
04 28
05 8
06 25
07 45
08 18
09 48
10 42
11 32
12 63
13 81
14 25, 30, 35, 5, 5
15 42, 49, 56, 7, 7

16

2	6	3
	24	
4	4	1

17

7	7	1
	56	
4	8	2

18 0, 5, 1, 3, 2, 8 / 4, 7, 6, 9
19 예 $(1+4)\times(3+6)=45$

16~17 가로 또는 세로 방향의 세 수에서 가운데의 수는 양쪽 두 수의 곱입니다.

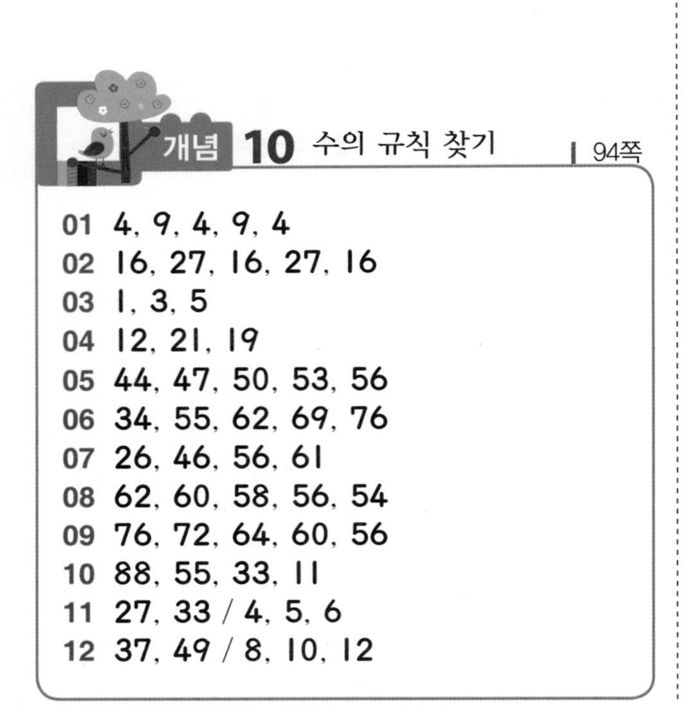

개념 10 수의 규칙 찾기

94쪽

01 4, 9, 4, 9, 4
02 16, 27, 16, 27, 16
03 1, 3, 5
04 12, 21, 19
05 44, 47, 50, 53, 56
06 34, 55, 62, 69, 76
07 26, 46, 56, 61
08 62, 60, 58, 56, 54
09 76, 72, 64, 60, 56
10 88, 55, 33, 11
11 27, 33 / 4, 5, 6
12 37, 49 / 8, 10, 12

사고력 기르기

Step 1 | 96쪽

01 28
02 67
03 70
04

1	2	3	4	5	6	7
14	15	16	17	18	19	20
27	㉠	29	30	31	32	33
40	41	42	43	44	45	46
53	54	55	56	57	58	59
66	㉡	68	69	㉢	71	72

05 20
06 28
07 39
08 59
09 5, 5, 5, 5, 3, 15
10 8, 8, 8, 8, 3, 24
11 4, 4, 4, 4, 3, 12
12 6, 6, 6, 6, 3, 18
13 7, 7, 7, 7, 3, 21

01 ↓ 방향으로 13씩 커지는 규칙이므로
$2+13+13=28$입니다.

02 ㉠에서 13씩 3번 뛰어 센 것이므로
$28+13+13+13=67$입니다.

03 ㉡이 67이므로 ㉢은 $67+3=70$입니다.

05 2부터 2씩 9번 뛰어서 세면 열 번째에 올 수를 구할 수 있습니다.
$2+(2\times9)=2+18=20$

06 1부터 3씩 9번 뛰어서 세면 열 번째의 수입니다.
$1+(3\times9)=1+27=28$

07 3부터 4씩 9번 뛰어서 세면 열 번째의 수입니다.
$3+(4\times9)=3+36=39$

08 5부터 6씩 9번 뛰어서 세면 열 번째의 수입니다.
$5+(6\times9)=5+54=59$

사고력 기르기

Step 2 | 99쪽

01~07 풀이 참조
08 $127+127+1=255$
09 $130+130-2=258$
10 $70+3\times7=91$
11 $59-7\times7=10$
12 $8\times9=72$
13 $8\times10=80$, $63+17=80$
14 24 **15** 15
16 22 **17** 25
18 48 **19** 66
20 90 **21** 165

01 $3\times5+2=17$, $5\times7+2=37$, $17+37=54$

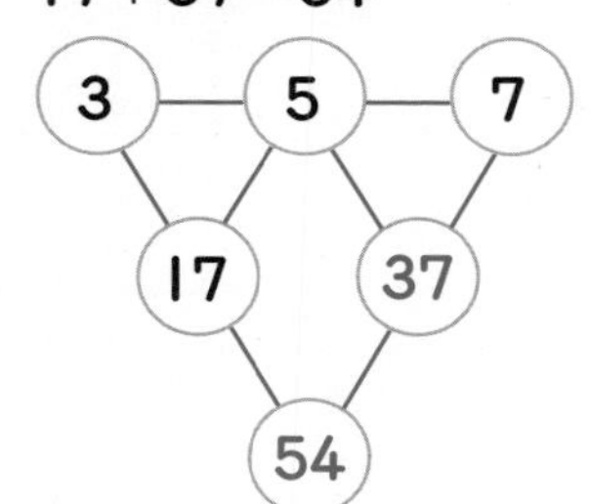

02

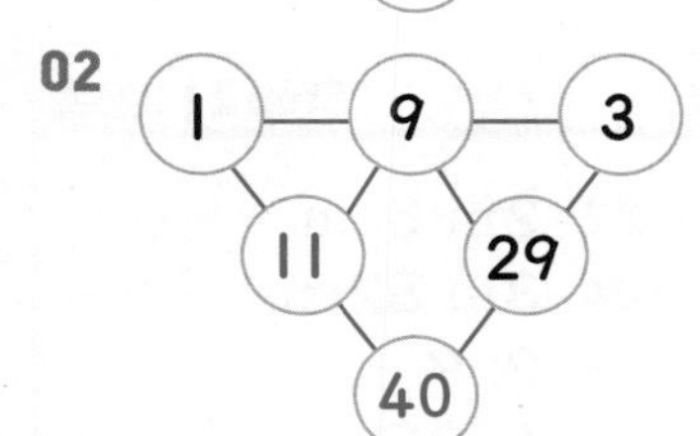

03

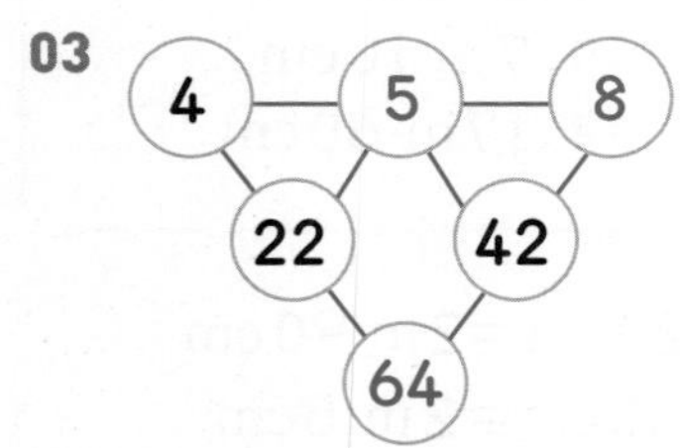

04

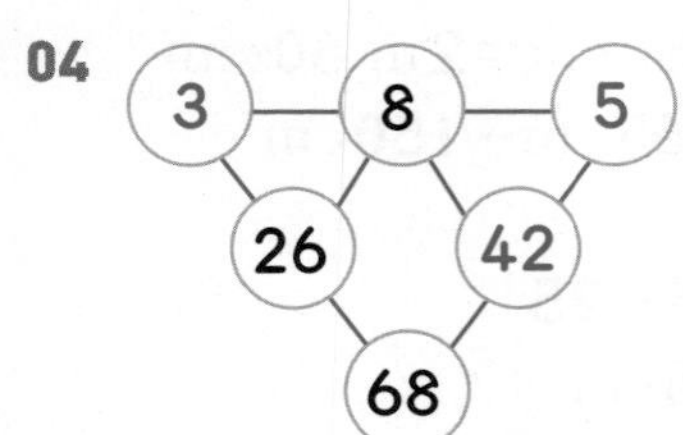

05

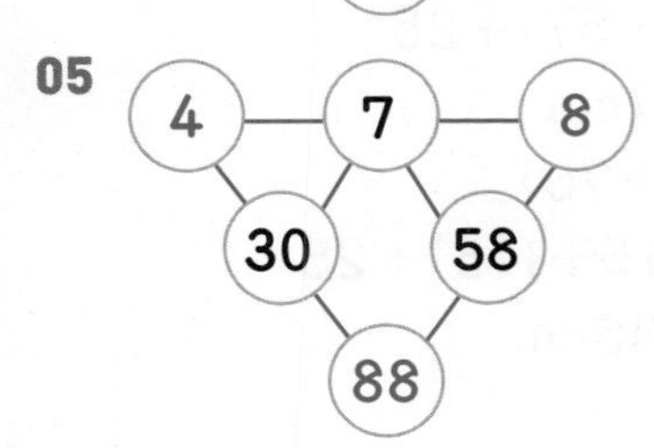

06

9 — 6 — 4
56 26
82

07

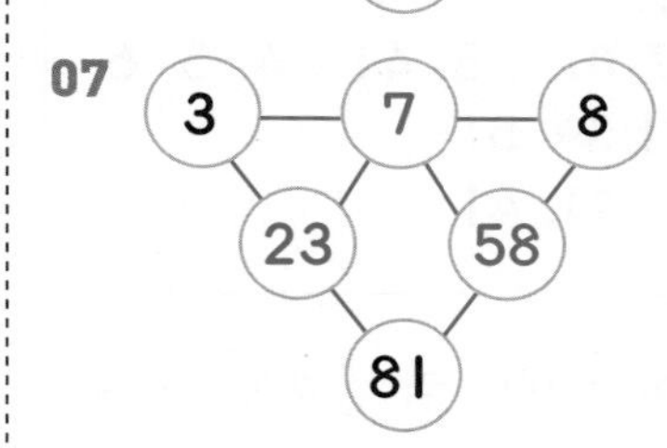

08 (다음 수)=(앞의 수)+(앞의 수)+1의 규칙입니다.

09 (다음 수)=(앞의 수)+(앞의 수)−2의 규칙입니다.

10 처음 수부터 차례로 3, 6, 9, 12, ……로 뛰어 세는 규칙입니다.

11 처음 수부터 차례로 1×1, 2×2, 3×3, ……씩 작아지는 규칙입니다.

12 $2=1\times2$, $6=2\times3$, $12=3\times4$, ……, $56=7\times8$이므로 $★=8\times9=72$입니다.

13 $3=1\times3$, $8=2\times4$, $15=3\times5$, ……, $63=7\times9$이므로 $★=8\times10=80$입니다.

14 각 자리의 알맞은 수는 다음과 같습니다.

2	8	32	128
1	4	16	64

각 자리의 수를 더하는 규칙이므로 $16+8=24$입니다.

15 $7+8=15$ 또는 $1+2+4+8=15$
16 $16+4+2=22$
17 $16+8+1=25$
18 $16+32=48$
19 $64+2=66$
20 $64+16+8+2=90$
21 $128+32+4+1=165$

실력 점검

102쪽

01 6, 15, 6, 15, 6
02 7, 2, 14
03 34, 40, 58, 64
04 54, 63, 72, 99
05 50, 46, 42, 38, 30
06 75, 43, 35, 27
07 35, 41 / 4, 5, 6
08 38, 49 / 7, 9, 11
09 51
10 18
11 41

09 6부터 5씩 9번 뛰어서 세면 열 번째에 올 수를 구할 수 있습니다.
$6+(5\times9)=51$
10 $16+2=18$
11 $32+8+1=41$

개념 11 길이의 합과 차

104쪽

01 3, 80
02 5, 35
03 3, 40
04 2, 60
05 3m 65cm
06 1m 20cm
07 5m 35cm
08 3m 5cm
09 9m 90cm
10 5m 15cm
11 9m 28cm
12 4m 10cm
13 5m 95cm
14 3m 15cm
15 3m 75cm
16 2m 20cm
17 9m 95cm
18 2m 10cm
19 8m 95cm
20 6m 20cm
21 6m 45cm
22 3m 25cm

사고력 기르기

Step 1 106쪽

01 34 / 7
02 55 / 6
03 39, 7
04 5 / 25
05 2 / 27
06 5, 67
07 28 / 4
08 23 / 9
09 14, 7
10 72 / 5
11 80 / 4
12 71, 4
13 7 / 14
14 9 / 18
15 8, 32
16 20 / 3
17 30 / 6
18 10, 3
19 9, 3, 2, 2, 23
20 60, 60, 60, 5, 2 / 170, 1, 70
21 80, 80, 80, 9, 2 / 222, 2, 22

16~18 1m를 받아내림하여 계산합니다.

사고력 기르기

Step 2 109쪽

01 2m 90cm
02 2m 5cm
03 2m 60cm
04 3m 52cm
05 2, 5
06 2, 9
07 7, 85
08 6, 35
09 14m 20cm
10 7m 10cm
11 5m 10cm
12 17m 60cm

01 6m 10cm−3m 20cm=2m 90cm
02 4m 67cm−2m 62cm=2m 5cm
03 6m 10cm−3m 50cm=2m 60cm
04 9m 69cm−4m 67cm−150cm
=3m 52cm
05 $45+45+45+45+25$
=205cm=2m 5cm
06 $(35+35)+(57+57)+25$
=209cm=2m 9cm
07 $(75+75)+(75+75)$
$+(115+115+115+115)+25$
=785cm=7m 85cm

08 (125+125)+(80+80)
+(50+50+50+50)+25
=635cm=6m 35cm

09 (4m 35cm+4m 35cm)
+(275cm+275cm) =14m 20cm

10 (2m 15cm+2m 15cm)
+(140cm+140cm)=7m 10cm

11 (1m 45cm+1m 45cm)
+(110cm+110cm)=5m 10cm

12 4m+4m 80cm+4m+4m 80cm
=17m 60cm

실력 점검

112쪽

01	3, 50	02	3, 35
03	8m 80cm	04	1m 40cm
05	5m 50cm	06	3m 20cm
07	11m 95cm	08	5m 15cm
09	6m 80cm	10	3m 20cm
11	17m 95cm	12	6m 15cm
13	24 / 5	14	45 / 7
15	72 / 5	16	80 / 4
17	1, 70	18	5, 70
19	9m 60cm		

17 (25+25)+(45+45)+30
=170cm=1m 70cm

18 (120+120)+(70+70)
+(40+40+40+40)+30
=570cm=5m 70cm

19 도형의 둘레는 큰 사각형의 둘레와 같습니다.
3m 30cm+150cm=4m 80cm이므로 둘레는 4m 80cm+4m 80cm=9m 60cm입니다.

Memo